TEXT,OS CRUÉIS DEMAIS PARA SEREM LIDOS RAPIDAMENTE

o fim em doses
homeopáticas

TEXTOS CRUÉIS DEMAIS PARA SEREM LIDOS RAPIDAMENTE

Igor Pires

Copyright © 2020 by Editora Globo S.A.
Copyright do texto © 2019 by Textos Cruéis Demais

Todos os direitos reservados. Nenhuma parte desta edição pode ser utilizada ou reproduzida — em qualquer meio ou forma, seja mecânico ou eletrônico, fotocópia, gravação etc. — nem apropriada ou estocada em sistema de banco de dados sem a expressa autorização da editora.

Editora responsável **Veronica Gonzalez**
Assistente editorial **Lara Berruezo**
Diagramação **Gabriela Barreira**
Projeto gráfico original **Laboratório Secreto**
Ilustrações e arte da capa **Anália Moraes | Casa Dobra**
Capa **Gabriela Barreira e Gabriel Gonzalez**

Texto fixado conforme as regras do Acordo Ortográfico da Língua Portuguesa (Decreto Legislativo nº 54, de 1995).

CIP-BRASIL. CATALOGAÇÃO NA PUBLICAÇÃO SINDICATO NACIONAL DOS EDITORES DE LIVROS, RJ

P744f

Igor Pires
O fim em doses homeopáticas / Igor Pires ; ilustração Anália Moraes. - 1. ed. - Rio de Janeiro : Globo Alt, 2020.
304 p. : il. ; 21 cm.   (Textos cruéis demais para serem lidos rapidamente)

ISBN 978-65-80775-14-9

1. Poesia brasileira. 2. Ficção brasileira. I. Moraes, Anália. II. Título. III. Série. 20-62939

CDD: 869
CDU: 821.134.3(81)

Meri Gleice Rodrigues de Souza - Bibliotecária CRB-7/6439
12/02/2020   18/02/2020

1ª edição, 2020 – 8ª reimpressão, 2025

Direitos de edição em língua portuguesa para o Brasil adquiridos por Editora Globo S.A.
R. Marquês de Pombal, 25

20230-240 — Rio de Janeiro — RJ — Brasil
www.globolivros.com.br

o fim é cruel porque acaba com as nossas expectativas de futuro. ele transforma até o mais bonito e incrível final de semana em um dia frio e triste. ele esvazia a nossa felicidade, tira o nosso ar, joga a nossa respiração pela janela, desfaz todos os planos que construímos pro mês que vem. o fim apaga todas as fotos do celular e do cartão de memória, doa os presentes pros amigos íntimos, os perfumes vão pro lixo, os livros são esquecidos em algum baú pelo quarto e a lágrima fica presa entre um soluço e outro. o fim é cruel porque às vezes a gente sabe que ele está ali, convivendo e absorvendo a rotina. ele fica ali, vendo tudo esmorecer, ganhando forma e sentido, transformando-se em realidade. o fim não causa tanto medo até se tornar real. o fim começa com um pressentimento e termina com as malas feitas, ela indo embora pra nunca mais voltar e vocês deletando um a memória mais bonita do outro. o fim é cruel porque faz a gente mudar o caminho, recalcular as rotas até chegar no coração dos próximos, voltar atrás a qualquer sinal de que o amor está novamente pronto pra nós.

este livro é pra você que viveu ou está vivendo o fim. que dói, mas que também cura. que arde o coração, mas que permite que você veja as cicatrizes que estavam ali, ao lado do machucado, o tempo todo. que te derruba em um dia, mas te levanta pelo resto da vida.

o fim, que também é caminho, motivo do início de uma bonita e desafiadora jornada...

rumo aos recomeços.

Dedico este livro às minhas irmãs, sempre as primeiras a lerem meus textos, e aos meus pais. Obrigado por me ensinarem que o amor é a forma mais bonita e honesta de resistência.

É por amar que continuo escrevendo.

o fim em doses homeopáticas

começo	15
meio	79
fim	143
o fim depois do fim	211

*como é bom o amor. se emocionar com a possibilidade
dele dentro de mim. andar pelas ruas, pelos bares, pela vida,
sabendo e existindo nele: vivendo e respirando
a magia do maior e melhor sentimento do mundo.*

*amar você é como abrir os olhos
e me emocionar com a possibilidade*

de sentir a beleza do mundo outra vez.

começo

o fim em doses homeopáticas

fragmento

você vai me contar sobre aquele cara
que partiu seu coração em dois
e eu vou dizer que tenho a sorte
de amar alguém em dobro.

o fim em doses homeopáticas

três copos d'água pra noites quentes

te conheci no carnaval, época em que todos comemoram a felicidade dos dias sem trabalho, dos dias leves e serenos e cheios de purpurina, dias com glitter e com a liberdade que não é encontrada em nenhum momento pelo resto do ano. te conheci depois de conversarmos por dois dias ininterruptos e ficarmos a noite inteira falando sobre como pizza no dia seguinte é bem melhor do que pizza feita na hora. quando te conheci, naquele dia em que eu estava do outro lado da cidade e meu celular apitou com alguma coisa vinda de um desconhecido da internet, meu coração sabia que se tratava de um marco.

mas meu deus. quando te vi entrando pelo portão preto daquele apartamento que até hoje sinto falta, meu coração estremeceu. fingi que não estava impactado com seu sorriso doce, capaz de adocicar todos os mares do mundo, e seu estilo despretensioso, de quem sabe que é quase humanamente impossível se vestir bem no verão carioca. quando nos cumprimentamos, encarando a noite conversa adentro, encostando nossas peles, eu soube: você ficaria na minha vida por mais tempo do que a média.

brincávamos porque, logo na primeira semana em que dormi na sua casa, escrevi num caderno que você já era um marco na minha vida e te questionei: *o que eu sou pra você?*, porque meu maior medo é entrar na vida das pessoas e ser facilmente esquecido, você sabe. eu morro de medo de não conseguir me encantar com nada, não conseguir mostrar a pessoa vulnerável, cheia de sonhos e manias que sou. ficava pensando que não era justo entrar na sua vida e sair dela sem nenhuma marca na pele, nenhum grande movimento, nenhuma grande sensação que causa dormência no peito. você me respondeu, brincando, que eu era um "marquinho", e que só o tempo diria o que passaríamos a ser.

o fim em doses homeopáticas

você não era como os outros caras que eu encontrava por aí e sabia que não daria em nada. que no dia seguinte não atenderia ao telefone e nossas vidas seguiriam intactas. contigo, tive a certeza de que seus olhos tinham acertado alguma coisa íntima em mim, que nem eu mesmo sabia que existia – e de que eu tinha passado como um caminhão sobre você e suas barreiras, sem pedir licença.

a gente foi tão certo naquele mês de carnaval. naquele fevereiro que tinha tudo pra ser o mês que a gente apaga da memória, porque bebeu demais ou o coração foi quebrado e, nesses casos, a gente não só afoga as mágoas, como as coloca pra se divertir.

textos cruéis demais para serem lidos rapidamente

eu lembro como se fosse hoje: o mundo todo estava em festa e a única música que eu ouvia era a sua voz balbuciando, na cama, qualquer coisa sobre séries, filmes, lugares pra jantar. o mundo lá fora explodia e a gente unia a pele uma à outra, sem vergonha e sem se dar conta de que a vida estava passando, o ponteiro do relógio acelerando e a gente ainda sob o mesmo céu. e como era incrível habitar o mesmo lugar que alguém cuja energia conversava e fazia sentido, cuja entrega estava no mesmo lugar que a minha, cuja intensidade era nossa maior razão pra estar ali.

amar você naquele mês, naqueles vinte e oito dias onde horas se confundiam facilmente, onde a gente não sabia se almoçava ou jantava e os dias se espreguiçavam em cima dos nossos ombros, foi o movimento mais bonito que me aconteceu. encontrar você naquele caos que era a minha vida e poder me juntar a você no caminho pra uma relação saudável e sensível foi a única porta pela qual consegui entrar sem dúvida alguma.

você não me deixa dúvida alguma. eu te escolheria em fevereiro, março, abril ou pelo resto do ano – e escolhi. eu escolheria a sua vergonha em tirar foto, o seu cuidado em me trazer três copos d'água todas as noites antes de dormir, o seu sotaque, a sua gentileza que veio antes do beijo, a sensibilidade de homem grande que você tem e eu sempre quis.

obrigado, carnaval, por ter me dado a pessoa da minha vida. e obrigado, você, por ter feito os carnavais muito maiores, bonitos e sonoros dentro de mim.

o fim em doses homeopáticas

um

te amar é fácil porque toda vez
que eu sou pergunta
você é afirmação.

o fim em doses homeopáticas

por causa de umas cebolas

o amor vai te encontrar no dia em que você sair apressada de casa, com as mãos cheirando a alho. quando você deixar o arroz em fogo baixo por calcular que daria pra ir até a esquina e voltar a tempo de conseguir manejar o restante do almoço. será um domingo de sol prolixo, de clássico entre os principais times da cidade, o bairro todo em festa, o tumulto pela adrenalina de saber que algo bom está prestes a acontecer.

o amor vai te encontrar bem no dia em que seu cabelo não está como você gosta, porque, além das mãos cheirando a tempero, você não terá tempo de se arrumar pra ir ao mercado. mas você sairá mesmo assim, com o rosto ainda adormecido pelo dia preguiçoso que se estende lentamente e os fios que, embora desajeitados, não te impedirão de sair atordoada atrás dos legumes.

textos cruéis demais para serem lidos rapidamente

o amor vai te encontrar quando você menos esperar. você viveu tanto tempo esperando alguma faísca enervar seu sangue, qualquer sentimento que fizesse do seu corpo um céu imenso e iluminado de ano-novo, que recebe a felicidade das pessoas entoando ritos de passagem. você passou tanto tempo à procura de alguém que fizesse do seu estômago morada pras borboletas que gostam tanto de perambular por onde se sentem confortáveis. e você tentou, tantas vezes, não fugir dos movimentos abruptos que elas causam quando alguém, algo ou o amor, estão prestes a nos encontrar. você falava: *desta vez eu não vou correr, desta vez não vou colocar obstáculos, desta vez eu vou enfrentar a apatia, o medo do sofrimento, a insegurança de não saber o que vai acontecer.*

você viveu durante tanto tempo tentando encontrar a pessoa ideal. quando saía com suas amigas pro mesmo bar de toda quinta-feira – aquele da rua central, perto da faculdade, onde todos iam pra flertar –, e ficava esperando. você esperava, sempre, algo cinematográfico. imaginava que, como nos filmes hollywoodianos, o alguém ideal se sentaria ao seu lado, pediria o mesmo drinque que você, os dois pegariam o copo ao mesmo tempo, as mãos se tocariam e ali começaria um papo divertido. depois, aconteceria algo maior e mais íntimo na sua casa e, então, seriam felizes pra sempre. a partir dessa constatação quase ritualística, vocês conversariam sobre os mais variados temas, criariam uma conexão e, enfim, algo profundo. você sonhava, tarde da noite, pouco antes de dormir, com como aconteceria o grande encontro do amor na sua vida. imaginava que, no café mais charmoso da cidade, em pleno pôr do sol, como numa ode aos

o fim em doses homeopáticas

filmes românticos, pássaros sairiam cantando, pessoas começariam a dançar e tudo ao seu redor pareceria uma cena perfeita de alguma superprodução francesa. e continuava: *um dia vai acontecer pra mim. eu sei que vai.*

você passou muito tempo querendo ver sinais em tudo o que tocava e em todos com quem se relacionava. metaforizava sobre como seria o pedido de casamento e em quais circunstâncias. brilhava os olhos contando pras melhores amigas pequenos movimentos como *ele disse* eu te amo *primeiro* ou *ela me ligou no dia seguinte,* mas não percebia que o amor ia muito além disso. muito além dos encontros maquiados e conversas arquitetadas. que o amor ia além daquele primeiro encontro, onde os dois estão empenhados em causar boas impressões, onde ambos estão à procura do beijo, talvez sexo, mas quase nunca algo a mais. você estava engajada em se permitir ser enganada pela vontade de encontrar alguém, rápido, não importando se seu coração já tivesse sido machucado tantas e tantas vezes. não importando se seu peito tivesse se transformado em algo mais duro que aço.

até que um dia, de tanto procurar o amor nos lugares, nas pessoas, e em tudo, o coração desacelerou. o peito deixou de queimar e arder e imaginar. os filmes franceses, com seus personagens mega apaixonados e sem maiores preocupações, deixaram de atrair sua atenção. agora você preferia os programas de culinária – pra te distrair de pensar em qualquer que fosse o dano causado pela expectativa. as séries que retratavam o amor romântico já não faziam seus olhos brilharem. você estava infectada pela desesperança no amor e em amar, afinal, tantos

textos cruéis demais para serem lidos rapidamente

passaram por você e te levaram embora que não restou muita coisa da sua esperança em tudo o que faz viver.

e você viveu assim por muito tempo. até aquele domingo em que deixou a panela do arroz no fogo baixo, com a pele cheirando a alho e suor, o cabelo que já nem incomodava mais, a multidão nas ruas de um domingo lento, o jogo de futebol acontecendo e umas coisas que precisavam ser compradas.

o amor vai te encontrar preocupada, o pé batendo no chão incontáveis vezes na fila do mercado, as mãos trêmulas por saber que, ao chegar em casa, o cheiro de queimado estará pelo ar.

e então ele chegará.
logo atrás de você: 1,80 de altura, camiseta verde, boné vermelho, sorriso largo e a despreocupação de estar na mesma fila há longos e excruciantes minutos.

você olha pra trás, desajeitada, descabelada, envergonhada, na dúvida se puxa assunto pra pedir o favor ou não, cheirando a alho, focada em sair depressa do mercado, quem sabe do bairro, do país. alguns segundos de hesitação, o ato de coragem reverberando em seu estômago, tomando conta da decisão. e aí você pede pra ele guardar seu lugar porque esqueceu de comprar algo importante.

será, enfim, o amor. que acontece da maneira mais banal, quando menos se espera, no dia em que tudo aparentemente daria errado.

o fim em doses homeopáticas

pra além do que você possa imaginar

fecho os olhos por um instante em meio à festa e às pessoas que nos rodeiam e me sinto tão sozinho. não é só sobre nós dois, que nos amamos e nos queremos bem. é uma solidão maior, comprida, macia e quente. é quando eu fecho meus olhos e de repente só existe eu dentro dos meus próprios pensamentos e paranóias e crises e tudo que me engole mesmo que eu resista.

ainda que eu lute, há esse pensamento de você indo embora, me deixando no meio da noite, e eu desnorteado sem saber pra onde ir, que rumo tomar, o que fazer. *quando abrir o olho, ele terá ido. quando abrir o olho, ele terá desaparecido e levado tudo com ele,* penso. fecho os olhos e então acho que, se voltar a abri-los, uma parte de mim terá ido embora também.

fico mastigando a ideia de que há algo errado entre nós dois. sussurro ao universo que me dê sinais pra que meu

amor por você não seja tão cego. recorro à terapia, digo nas sessões que tenho medo de estar sabotando o amor, como se eu o pegasse pelo pescoço, olhasse bem dentro dos olhos dele, e o despedisse da minha vida. como se, batendo à porta, eu estivesse mais ocupado em limpar os móveis de casa a ter de aceitá-lo como hóspede. tanta gente já passou por aqui e deixou o espaço sujo que fico me ocupando da sujeira em vez de me dar outra chance; de abrir a porta novamente e permitir que você e o amor entrem e sejam presentes.

e lá estou eu. no meio da festa, de olhos fechados, imaginando nossos fins infinitos. imagino que, ao abrir os olhos, você estará aos beijos com outra pessoa. imagino que, ao abrir os olhos, você terá ido pra casa com alguém que não eu. imagino que, abrindo os olhos, você terá desaparecido pra sempre. que, ao abri-los, nada daquilo será real, e a realidade será uma sucessão de inverdades que me contei pra suportar viver. que você nunca existiu, nem nossa cama compartilhada por meses e meses, nem os longos e amorosos banhos que tomávamos pontualmente quando você chegava do trabalho. lá estou eu, no meio da festa, sentindo que estou te deixando escapar, sabendo que, quando escuto todos os meus fantasmas, deixo de ouvir sua voz. e sua voz é tão bonita de ser ouvida.

essa ideia de que falta alguma coisa pra funcionar e pra eu me sentir em paz. a ideia de que falta uma peça pra ser encaixada nessa engrenagem a qual nos submetemos. a ideia de que existe uma muralha entre a gente que não me permite viver essa relação por inteiro. devo esse cansaço emocional a todos os traumas que antecederam você. a todas as vezes que fiz silêncio quando minha vontade era gritar: tudo que antecedeu você me acertou com tamanha violência que os meus gatilhos todos estão apontados pra nossa relação. todos os gatilhos apontados pra você. e me desculpa por querer fechar os olhos. me desculpa por preferir fechá-los no meio da festa a ter de ver você, que é tão bom e real, que me espanto. eu tento mantê-los abertos, mas sempre foi tão mais fácil imaginar as pessoas indo embora de mim, porque eu sabia que pelo menos em sonho eu teria algo de concreto. algo que eu sabia ser quase certeza na vida: ser abandonado pelo caminho.

fico procurando qualquer coisa que nos aparte. a ansiedade agarra meu peito e tento não ceder a ela, entre a cruz e a espada, coração disparado, mente a mil, todos os pensamentos socando meu estômago, a vontade de vomitar, o olho lacrimejando, o coração pulsando como se fosse sair do corpo, aquela adrenalina de não saber discernir se o que sinto é verdade ou faz parte das muitas outras maneiras que meu corpo tem de me fazer sucumbir. e os olhos ainda fechados no meio da festa.

já é quase de manhã. continuo te procurando em todos os lugares. continuo cedendo à minha imaginação, criando maneiras diferentes de você me deixando, abandonando o momento e indo pra onde não te alcanço. continuo afogado na minha própria respiração: trêmula, ofegante; continuo caindo, caindo e caindo dentro de um mar repleto de projeções e incertezas. e nele eu não encontro você. me vejo sozinho dentro de um imenso universo de

o fim em doses homeopáticas

água. nenhuma mão pra me tirar da infelicidade de estar caindo nas armadilhas de mim mesmo.

sei que você me ama. sei que estamos construindo uma memória tão bonita que, no tempo-depois, contarei a todos à minha volta da experiência incrível que foi estar ao seu lado. sei que estamos conhecendo um a fronteira do outro, e que ao fazê-lo, vez ou outra esbarraremos em dias nem tão fáceis, e em noites nem tão felizes. e eu continuo caindo. já não vejo e nem sinto nada. corpo quase estático, minha mente fervilhando os traumas que já passaram rente à pele, todas as decepções e expectativas sendo sentidas em uma fração de segundos.

êxtase.

finalmente abro os olhos: você continua ali. você continua ali, sorrindo pra mim.

e são os olhos mais lindos que vejo.

o fim em doses homeopáticas

quatro

escolheria você ainda que
não soubesse da sua existência:
daria conta de te inventar só pra me sentir
mais seguro no mundo.

tua

ele se levanta antes de mim todos os dias pra fazer café. sabe que eu gosto de acordar com o aroma do grão transitando pelo quarto e por isso desprende-se de dormir mais, de colocar o cansaço pra descansar. ele lava todos os pratos do almoço e, se possível, da janta. é pragmático ao não me deixar chegar nem perto da louça, mas urge pra que eu esteja na cozinha, abraçando suas costas e mostrando que estou ali. há uma pequena e amigável atmosfera só nossa quando fazemos as coisas de casa, e é isso que aprecio nele.

ele sempre fala o quanto é apaixonado por mim. no meio de uma conversa entre amigos, no meio da rua, enquanto fazemos compras, enquanto estou ao seu lado na cama – ele para abruptamente, amacia o olhar, e me diz: *como eu amo você.*

e eu me sinto a pessoa mais amada e abençoada do mundo,

como se o amor fosse especialmente pra mim. como se uma roupa que eu tinha há muito tempo finalmente me servisse.

ele senta na mesa do quarto, me vê passar por ele, me agarra pelo braço e diz:

eu sou tão feliz com você.

enquanto faço o almoço, enquanto escrevo ou durante uma crise de ansiedade, a percepção dele sobre nossa relação é algo que faz com que meu amor cresça ainda mais, subterraneamente. porque tem esse tipo de amor, que não está na ponta do iceberg, não está na camada visível da relação, nem na forma material com que tocamos as mãos. é um tipo de amor mais profundo, singelo, tranquilo. um tipo de amor que lembra meus avós, serenos em suas redes no meio da sala, como se soubessem que já viveram tudo o que tinham pra viver. é assim meu amor por ele. às vezes tão calmo, tão silencioso, tão certo de si, que me questiono se está mesmo aqui. mas então eu abro os olhos pela manhã, os dele estão em cima dos meus, e a hipótese imediatamente se confirma.

pra se concentrar, ele senta com as pernas cruzadas, franzindo a testa, parecendo estar muito atento ao que está fazendo. é assim com trabalhos da faculdade ou cardápios de restaurantes: tudo requer sua total atenção. ao mesmo tempo, consegue sair da zona dele até chegar à minha da maneira mais charmosa possível, como quando vira pra mim e pisca, ou levanta só pra me trazer um copo d'água.

o fim em doses homeopáticas

ele faz questão de invadir meus pensamentos mesmo quando estou tentando me concentrar, pra me lembrar do porquê o escolhi.

gosto particularmente de quando faz silêncio e seu sorriso escapa feito um rio. ele tenta esconder a felicidade de compartilhar o mesmo tempo-espaço que eu, mas acaba cedendo à sensibilidade de saber que nosso amor é incrível, que o que estamos construindo vai ficar na história que contaremos pro mundo no futuro. eu ficaria dias a fio em silêncio com ele só pelo prazer de saber que depois da estiagem vem a primavera. e é dentro dele que me faço florescer toda estação.

gosto das nossas tardes em casa, quando trabalhamos em cômodos diferentes e, ainda assim, sinto todo o seu amor me abraçar, como se eu estivesse colada em seu corpo às três da manhã. o amor é esse espaço entre duas pessoas, que não as separa, e sim as aproxima.

gosto do fato de ele ser atencioso com todos. ele para pra atender qualquer pessoa que peça informação e fala empolgado sobre quase qualquer tema relacionado à área em que trabalha. não conheço ninguém que expanda suas emoções ao falar de viagens, planos, datas comemorativas. amo o senso de partilha que ele carrega; ele faz as pessoas à sua volta tão confortáveis, tão à vontade, que às vezes o invejo por não ser tão simpática. o olho brilha falando e conversando com estranhos. ele tem mania de ser generoso, e meu amor por ele se apaixona toda vez que o enxerga sendo bom.

textos cruéis demais para serem lidos rapidamente

e foi assim, numa dessas manhãs em que o café está sendo feito, o sol iluminando os prédios da cidade e buquês de flores sendo entregues em salas comerciais, que me dei conta de que estar com ele era um desses convites do universo pra felicidade que tanto procurava.

que, afinal, quando deixei de buscar desesperadamente o amor, lá estava ele, personificado, sendo parte importante da minha existência.

o fim em doses homeopáticas

domingos chuvosos

os domingos agora fazem sentido. eles têm seu nome, o tom da sua risada, sua barba fazendo carinho nas minhas costas, nossas mãos brigando por espaço um no corpo do outro, as séries que assistimos pra passar a semana comentando. amar faz sentido nesses dias ordinários, em que chove no Rio de Janeiro, e a cidade toda se sente frustrada porque nada saiu como o previsto: não teve praia nem calor de trinta graus, o churrasco foi cancelado e os amigos que tinham dito que sairiam de casa ficaram na cama, fazendo qualquer coisa na internet. o meu amor por você tem exatamente o gosto desses domingos despretensiosos, tranquilos, amenos.

quando estamos juntos, o mundo lá fora parece congelar. parece que, quando é segunda, um novo mundo aconteceu, um planeta foi criado, as estrelas do zodíaco decidiram acordar. com você, os problemas parecem se esquecer de quem são, e não surgem na minha mente. você tem a incrível habilidade de deixar tudo sereno como a primeira hora da manhã e silencioso como o primeiro dia do ano. com você, o amor parece certo. parece na medida ideal, como se tudo que experimentei antes não fosse amor, fosse qualquer outro sentimento que eu nomeava por medo de não sentir nada.

durante a vida, acabei conhecendo outras formas de me relacionar, mas nada como no domingo de chuva em que nada acontece lá fora e o mundo inteiro explode aqui dentro. nada como a paz de saber que alguém me ama sem grandes espetáculos ou premonições. nada como a simplicidade de saber (e sentir, porque sentir é importante) que o amor foi feito pra mim, ainda que eu tenha chegado tarde demais à conclusão.

dizem que a rotina é desgastante, mas é nela que consigo encontrar pequenos detalhes e valiosos lembretes do porquê escolhi você. do porquê meu peito permanece mar calmo enquanto grandes ondas insistem em derrubar tudo e todos ao meu redor.

o domingo faz sentido agora, porque nele tem você me abraçando delicadamente enquanto não sei ainda se quero continuar na cama ou me levantar. tem o ritual de preparar o café, quando consigo enxergar todas as pintas que se deitam delicadamente sobre suas costas, e o almoço preguiçoso depois da suposta hora de prepará-lo, pra no fim acabarmos deitados, falando sobre como a vida tem sido boa com a gente.

eu não abro mão desse tipo de amor tranquilo que você

me oferece, da certeza que você planta no meu coração quando traz a confiança de que preciso pra me entregar cada vez mais, sem remorsos ou pudor.

você me ensina, pacientemente, que o amor é dos dias felizes, solares, mas que é também dos que chovem.

faz sentido que os domingos agora tenham o som da sua risada e o calor das suas mãos.

o fim em doses homeopáticas

o amor chama pra dançar

quando alguém olha pra você e te reconhece no mundo. ela agarra sua essência e cria um altar pra que você descanse. guarde essa pessoa. proteja-a. que ela conheça mais do que você é, não do que você mostra.

quando alguém não só gosta de você – porque tanta gente já gosta –, mas quando ela gosta e é sutil. quando pergunta onde dói e por que e quer *realmente* saber. não pra te curar, já que essa não é a função de ninguém, mas pra entender por quais caminhos sua pele precisará ser resguardada. *quando alguém entende que nem todo silêncio é armadura. que alguns são pontes pra espaços muito maiores.* quando alguém é tão honesto com você que não só te acerta com as palavras, como também te protege do corte que elas fazem. quando alguém é tão honesto que você se pergunta por que era sempre tão difícil. quando alguém te escolhe. sim, escolhe. guarda ela. protege a essência dela do que é mau.

o fim em doses homeopáticas

quando alguém não te suga nada, e sim te entrega. mantenha-a por perto. abraça forte.

guarda isso.

guarda que não é sempre que alguém para e observa sua existência dançar na superfície da terra. e não é sempre que você para de dançar pra olhar também.

o fim em doses homeopáticas

dois

você não me deixa em dúvida
nem mesmo quando vai embora
– é a certeza da sua volta
que me faz permanecer.

o fim em doses homeopáticas

ônibus 432

corra essa maratona do amor.
abrace quem você ama mais de uma vez por dia
– se possível, faça isso todos os dias.

não tenha medo de ser vulnerável. a beleza da
fragilidade faz de você um ser humano incrível.
chore sempre que tiver vontade. respeite o momento
que seu corpo tira pra se esvaziar.

faça loucuras por amor, ainda que isso soe patético
e infantil.
passe um dia com alguém desconhecido até
a intimidade ser
o maior elo entre vocês.

descubra que o universo sempre esteve à espera da sua
felicidade
e que ela só depende de você.

textos cruéis demais para serem lidos rapidamente

crie expectativas sobre si mesma.
estude o perdão.
saiba deixar alguém ir embora, por mais que isso doa
e te faça perder o ar.
recupere o ar deixando outra pessoa entrar na sua vida.
abra os braços pra recebê-la.
deixe que a linguagem do amor seja seu idioma preferido.
volte a lembrar das coisas que te doíam, permita que suas
memórias voltem sem que sua pele se desintegre inteira.

apaixone-se por alguém aleatório.
escolha estar apaixonada por ele por meses, quem sabe anos.
descubra que ainda existe um caminho dentro de você
a ser explorado – por si mesma ou por outro.
olhe nos olhos da pessoa que você ama e fique
em silêncio com ela. e que o silêncio entre vocês seja
um caminho, não um vazio que corrói.

volte pra casa. ainda que pra isso você precise regressar
aos braços de quem te mandou ir.
transforme seu orgulho em exposição.
não seja tão dura com seus recomeços, são eles
os grandes responsáveis por você adquirir nova pele,
mudar de sentido
direção.

viaje atrás de quem te causou espanto.
faça coisas inimagináveis por alguém.
tenha boas histórias sobre pessoas impossíveis
e conte-as no meio de uma conversa de bar.

o fim em doses homeopáticas

ame de novo.
você já está quase lá.
e é só o começo da sua vida.

o fim em doses homeopáticas

Tijuca

quando foi que você olhou pra mim e viu que eu
poderia ser o homem da sua vida?

quando foi que você teve a certeza de que poderíamos
passar o resto da vida juntos sem que nossas diferenças
nos agredissem
mas sim nos alimentassem?

quando foi que você viu em mim
a capacidade de ser melhor
e quando decidiu tirar o melhor de mim?

quando, me diz
você decidiu que eu poderia ter a audácia de levantar ao
seu lado todos os dias
só pra ver seus olhos acordarem
e seu corpo se espreguiçar deliciosamente sobre os
lençóis?

textos cruéis demais para serem lidos rapidamente

quando você decidiu que era hora de me deixar fazer
parte desse ciclo
do seu corpo
e de todas as suas vitórias e derrotas?

quando você olhou pra mim
e não viu apenas um desconhecido
mas alguém capaz de limpar suas feridas
sem se importar com o trabalho que daria
suturar uma a uma?

quando foi?
me diz

me diz quando é que você viu em mim todas essas
coisas bonitas que só seus olhos captam
que só sua sensibilidade consegue dar conta de perceber
e só seu amor por mim é capaz de explicar.

me explica
me escreve e me manda um postal

me conta quando é que seus neurônios
começaram a conversar sobre encontrar e colidir nos
meus
quando é que suas células começaram a dançar com a
minha chegada à sua casa
e quando foi que a adrenalina finalmente foi embora ao
perceber que eu já não era mais um estranho
e sim alguém que veio pra ficar.

me diz quando é que você viu
tudo isso que vê em mim

o fim em doses homeopáticas

porque quero acreditar que todos esses sentimentos
moram aqui
e não partem só de uma visão unilateral.

me conta quando é que você me viu homem grande
pra eu começar a praticar todas as vezes que você me
viu limpo e bom.

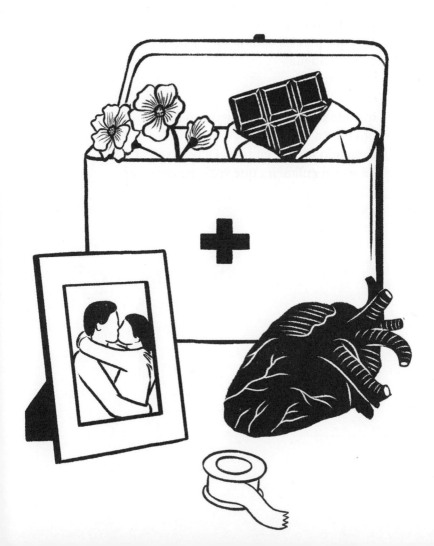

textos cruéis demais para serem lidos rapidamente

me diz quando eu deixei de ser alguém pra passar os
dias
e virei alguém que conspira sobre filhos
sobre onde vai morar
sobre como educaremos as crianças pra serem
humanos com mais empatia e menos egoísmo.

me diz quando foi que meu corpo
passou a dialogar com o seu
sem que precisássemos abrir a boca
expor a língua
verbalizar.

quando seu coração se ligou ao meu
pra nunca mais largar
e quando foi que eu passei a te enxergar
da mesma maneira que você me enxerga?

me diz.

o fim em doses homeopáticas

pra fazer antes que anoiteça

dançar pelo quarto sem nenhum móvel
pegar o primeiro ônibus que passar no ponto
dizer *eu te amo* a um desconhecido na rua
tatuar na minha pele todas as vezes em que fui bravo,
corajoso, forte e *amor.*

dizer *eu te amo* a alguém que se tornou desconhecido
pra mim
tatuar na memória todas as vezes em que, por amor,
eu disse *não.*

viajar pro interior e ficar sem celular por dias
viajar pro interior e ficar sem celular – mas com alguém
que eu goste e que me goste de volta.

escolher e ser escolhido por alguém que saiba
a diferença entre se apaixonar e acender um fósforo
no meu coração

porque tocar fogo em alguém significa que em algum
momento aquele corpo, aquela memória, aquela relação
desaparecerá.

aprender a discernir entre quem diz que me ama
e quem me faz sentir amado.
aprender a diferença entre quando as palavras fazem
cócega no meu ego e quando as ações fazem o coração
vibrar.

compor música.
aprender a tocar piano.
aprender a escolher
(lugares, assentos, formas de pagamento).

tentar alguma coisa com deus
tentar alguma coisa comigo mesmo
tentar com pessoas das quais mantive distância.

aprender a perdoá-las
por mim, sobretudo por amor a mim.

aprender a ceder
e a ser honesto o suficiente pra dizer que sou culpado.
não permitir que o outro carregue uma culpa que não
lhe pertence.

errar
errar e quebrar a cara.
reconstruir a cara e plantar sementes ao redor do poste.
florir a rua pela qual passei com a bicicleta a todo vapor.

o fim em doses homeopáticas

estudar física quântica
e dialetos africanos.
amar alguém instantaneamente
escrever sobre isso.

regressar à minha primeira escola
dizer àquele espaço quão importante ele foi pra mim.
rezar e agradecer pelo caminho que minhas mãos
construíram.
orar e agradecer pelo que vem.
refazer meu trajeto pra que humildade não me falte
andar de metrô com ela
e pedir pra que me acompanhe sempre.

aprender sobre cura
e sobre como nossos ombros suportam o mundo
e nossas mãos são pequenas, mas infinitas.
aprender sobre a velhice da minha mãe
e sobre como é bom vê-la descansar solenemente na
idade de ouro.
alimentar minha família com o perdão.
nutrir respeito por todos que amo
fazer dele minha água diária.

ir a festas sozinho
flertar com alguém no cinema
levar qualquer um para a minha casa
tornar esse qualquer o grande amor da minha vida
permitir que eu também seja o grande amor da vida
dele.

textos cruéis demais para serem lidos rapidamente

entender que não preciso ser tão duro com a vida
que às vezes só preciso amolecer a pele e o peito
e dizer: *aqui estou*
aqui estou e vou pra onde você quiser me levar
pra onde você me fizer crescer
e me chamar de teu.

por fim
fazer tudo isso enquanto há tempo

enquanto amar
ainda é o que de mais humano podemos fazer.

o fim em doses homeopáticas

anotações pra quando você acordar

peço pro universo que me permita ver você dormir mais um pouco, porque é no silêncio do seu sono que entendo por que te amo

e nos seus trinta minutos de descanso, eu penso:

• que você foi o único que me viu sem proteções. enquanto os outros se preocupavam em conhecer as minhas camadas todas, você fez questão de me perguntar se estava tudo bem tentar me desvendar. você foi gentil ao esperar o tempo certo de cada movimento, e é por isso que a minha entrega foi grande e quase imediata: é que a sua sensibilidade já havia aberto todos os caminhos.

• você desarmou minhas barreiras e me fez querer ser tão honesto, tão de verdade, que eu nunca mais soube como deixar de queimar. você me ensinou que tudo bem dizer *eu te amo* de cara, porque sentimento não tem prazo de validade, e tudo o que a gente tem é o agora. você chorou na minha frente logo no nosso primeiro mês por acreditar que eu fosse o homem da sua vida. mal sabia que, antes da primeira lágrima rolar pelo seu rosto, você já era o da minha.

• seu corpo se encaixa anatomicamente ao meu. mesmo em camas pequenas, nosso amor extravasa pra fora dos limites, mas a gente não. todas as noites, pouco antes de cair no sono, me sinto como a areia da praia sendo abraçada silenciosamente pelo mar: são seus braços dando continuidade aos meus.

• eu passaria minha vida toda rindo das suas piadas idiotas em momentos inoportunos. mesmo quando me irrito com a sua falta de discrição, me alegro por dentro em saber que tudo em você é festa, até mesmo a sua dor.

• seu senso de compaixão me constrange. você sempre dá mais do que tem. me preocupo, às vezes, se você conseguiria pensar um pouco mais em si mesmo – e descobrir que é maravilhoso.

• sua calma pra assuntos sérios me faz ter vergonha de como eu ainda fico estagnado em sentimentos que não valem tanto a pena. peço ao universo pra me presentear com sua serenidade em abraçar o mundo caótico e, ainda assim, se manter de pé.

o fim em doses homeopáticas

• você procura minha mão à noite – e é nesse gesto que mora nossa intimidade. você não é de dar flores, mas existe movimento mais romântico do que olhares que se encontram e se concentram no meio de uma festa? com você, os meus vivem dançando.

• suas lágrimas conhecem bem as minhas e é a melhor conversa que já tive em anos.

• você sabe de todas as minhas feridas e faz questão de não as provocar. às vezes, até senta com elas pra tentar convencê-las de que precisam se curar.

• admiro sua habilidade em permanecer. você fica até mesmo quando vai embora. sua presença preenche todos os meus poros, e é por isso que, quando falo, todos veem em mim a linguagem do amor. sinto saudade até quando nos distanciamos na cama, não quero perder um centímetro de você.

pronto, hora de levantar.

o peso do mundo

eu sei como é cansativo carregar o peso do mundo. e como é difícil ser essa pessoa que sente tudo, como se qualquer relação fosse te sufocar. como é difícil se manter razoável, quando amar alguém requer coragem e você nunca soube ser menos do que intenso.

eu sei como é cansativo deitar a cabeça no travesseiro à noite e pensar em quantas pessoas você já deixou ir embora por medo de que vissem sua honestidade; por medo de sentirem sua sensibilidade e fugirem.

você antecipou o fim pra que elas não te enxergassem como humano
e o quão destrutivo isso é? aceitar que o outro não te enxergue como aquilo que você nasceu pra ser:
inteiro, imenso.

eu sei como é cansativo lutar pra mostrar menos
pra não assustar

o fim em doses homeopáticas

pra não ser demais, porque ser demais, às vezes é ruim.
então à noite, pouco antes de dormir, você se esconde
atrás de todo o choro e dorme, pra não ter que pensar.

eu sei como é carregar a culpa de saber da própria intensidade. quando descobri que meus sentimentos eram
mais intensos do que amenos, eu chorei. perguntei à
minha mãe se era justo comigo que todas as sensações
do universo me habitassem.
e ela me respondeu, sorrindo, que eu era aquilo que deus
me criou pra ser
e eu era muito, demais.

eu sei como é estar cansado de si próprio e das cobranças
pra ser menos.
eu dizia a mim mesmo: *dessa vez você vai amar na medida,
dessa vez você vai amar com cuidado, dessa vez você não
vai assustar.*
mas aí que razão e emoção não dão as mãos
e não caminham juntas.
e então eu tive que entender que nem tudo sairia da
maneira que eu gostaria. e essa era a maior dor que
poderia dormir sobre meus ombros
e tem dormido desde então.

eu sei como é difícil não admitir que se é gigantesco
porque acredito que você seja igual a mim: coração
imenso, vontades violentas e entregas absurdas.
eu sei como é se segurar pra não correr atrás e pedir:
volta. por favor, volta.
como é calar o choro tarde da noite
e se segurar pra não desmoronar na frente de decisões
inesperadas – *ele vai embora pra nunca mais voltar.*

textos cruéis demais para serem lidos rapidamente

o peso do mundo são nossas mãos tentando abafar a dor
da partida
o peso do mundo é a sensibilidade sendo colocada dentro
do armário
pra não machucar ou importunar ninguém.

o peso do mundo são as vezes que decidimos
nos doer a ter de cobrar alguma coisa
porque a gente entendeu, finalmente, que se não for pra
ter alguém
ao nosso lado que consiga olhar no olho da nossa entrega
e admirá-la, não há motivos pra ficar.
não há motivos pra seguir

e então seguimos

sozinhos.

o fim em doses homeopáticas

eternidade

olhei dentro dos seus olhos
e perguntei se você me amaria até a eternidade.

       sorrindo, você disse que
     eternidade é um tempo muito longo.

você sabia que eu não falava de uma esfera espacial
mas de quando se ama tanto alguém
que não importam os anos ou o tempo
– estar com ela é e s t i c a r os minutos
e torcer pra que os próximos não venham nunca mais.

notas sobre você I

a primeira coisa que vou falar na terapia quinta-feira
que vem é que não sinto que a gente vai durar.

vou dizer que essa constatação talvez venha de
uma auto sabotagem a que tenho me proposto
de maneira ferrenha
vou pedir ajuda pra desconstruir ou confirmar
a hipótese.

vou dizer: *ele me deixa feliz noventa e nove por cento
do tempo, mas insisto em me apegar àqueles 1%.* vou
dizer que amo muito você, mas que não consigo
vislumbrar um futuro.

vou perguntar: *mas é assim? toda e qualquer relação
precisa de um futuro?* e vou esperar, ansioso, a resposta.
quero que ela me ajude. sobretudo, quero ser ajudado.
a não me machucar mais. a aprender que mereço ser

textos cruéis demais para serem lidos rapidamente

amado, ainda que outras pessoas tenham me dito que não. porque no fundo eu sei.

eu sei que mereço o amor e mereço calma
e mereço paz e mereço você.

você é muito bom pra mim, eu só tenho medo da brechinha por onde a gente já se desencontrou.

pra mim qualquer brecha sempre vira,
uma hora ou outra, um furacão.

o fim em doses homeopáticas

volta

vou deixar as portas de casa sempre abertas
pra que você entenda que nossa relação nunca será
sobre quem permanece à força ou com dor.
deixo-as escancaradas pra você ter a liberdade
de ir embora assim que acordar
e tenha amor por mim quando decidir voltar
ainda que eu não esteja mais aqui, à sua espera.

vou deixar as portas abertas pra você ter outros
horizontes pra olhar
pra perceber que existe um mundo lá fora
e que, mesmo assim, com bilhões de estrelas
nascendo diariamente pelo universo,
ainda é na minha pele que você enxerga constelações.

vou deixá-las abertas pra perceber que existem outros
caminhos, sim, para além de mim
mas que, agora, o único que você quer construir
é ao meu lado.

textos cruéis demais para serem lidos rapidamente

relacionar-se com alguém é escolher diariamente
essa pessoa, sabendo que existem outros
talvez mais bonitos, inteligentes e interessantes.
é decidir pelo compromisso
ainda que exista um sol te chamando pra dançar.
é criar o próprio sol pra que nós dois sejamos
abraçados pela luz que o mundo tantas e tantas vezes
nos rouba.

deixo as portas abertas como quem sabe que
a escolha será sempre sua: se fica um pouco mais,
se deixa o amor
levantar os braços e ficar mais confortável, se permite
os dias se engrandecerem sobre nós e dizerem:
eles são mais que amigos
eles são mais que amantes
eles são pessoas que se encontraram.

que toda relação é sobre um encontro
consigo. com o outro.

deixo as portas abertas pra mim também
não como um convite pra ir embora primeiro
mas sim como uma possibilidade refutada: prometo
continuar
escolhendo você
dia após dia
ainda que existam outros caminhos.

porque outros caminhos não me interessam
se o único que me enleva já chegou e está aqui.

o amor, mesmo que infinito, uma hora cansa de ser sozinho.
ele precisa de confiança pra acreditar nos dias,
de paz pra tranquilizar as noites
e de esperança pra alimentar as relações.

meio

o fim em doses homeopáticas

nos seus braços de amor

eu corro sempre pros seus braços
porque neles minha respiração não dança freneticamente
mas se estende sobre a superfície confortável do mundo
e descansa.

corro sempre pros seus braços porque eles não se
importam com meu peso e com as noites em que não
dormi
mas me carregam com tanto afinco e afinidade que
eu confundiria seu abraço com onde estico minha
intimidade: meu coração.

corro sempre pros seus braços porque eles não me
negam a paz de dias tranquilos, onde minhas lágrimas
entram em recesso e decidem pela greve.

é nos seus braços que meu corpo flutua pela cidade,
ainda que o amor sujo do mundo escale as paredes do
meu organismo.

textos cruéis demais para serem lidos rapidamente

é nos seus braços que minha cura se faz realidade
e não projeção
porque você me recebe com tanta paciência e afeto que
minhas células fecham os olhos e agradecem.
elas dizem: *obrigado por ter me visto nu e desprotegido
e mesmo assim ter cuidado de mim.*

é nos seus braços que encontro o confronto. que não
saio ileso das minhas questões, mas reconfortado pela
melhora.
porque é nelas que meu coração cresce e aprende
a se autorregenerar.
porque é através dos seus braços, dos seus calorosos
e expansivos braços, que minha culpa se dissolve e meus
traumas silenciam.

é nos seus braços que me deito
e acordo com mais vontade de descansar.

corro sempre pros seus braços porque o mundo me
obrigou a achar esconderijos confortáveis pra minha
essência viver sem ser envergonhada

e porque você transformou minhas falhas em maneiras
de permanecer ainda mais tempo comigo, me
ensinando que está tudo bem estar confuso
e em conflito às vezes.

eu corro pros seus braços porque, depois que te dou
tudo de mim, eu permaneço sendo eu.
você não desconfigura o meu amor
não existe um momento em que eu te dou e fico com menos

o fim em doses homeopáticas

não existe um momento em que te devoto meus dias
e sinto falta deles.

você completa minhas orações com a sua presença
deposita seu olhar mais sincero sobre meus medos
e diz a eles: *venham cá. vamos conversar.*

eu corro pros seus braços porque neles meus medos
não tornam meus olhos inúteis. é justamente nos seus
braços que consigo encará-los e fazê-los sentirem
vergonha por estarem ali.

corro, sempre, pros seus braços, seus infinitos
e confortáveis braços, porque, no final do dia, eu preciso
de um lugar seguro onde eu não tenha vergonha de chorar.
porque você me permite o choro e, em vez de me julgar,
traz os lenços, a comida e a bebida
e juntos festejamos.

corro pros seus braços porque eles nunca viram uma guerra.
porque sempre estiveram à minha espera
antes mesmo de eu nascer.

nota pra mim mesmo:

lembre-se de *nunca* esquecer sua individualidade,
não importa o quanto ame alguém.

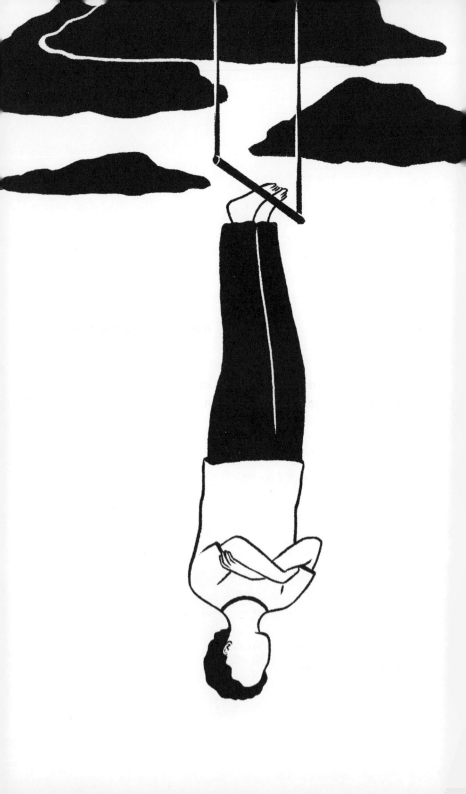

o fim em doses homeopáticas

acrobatas

caímos sempre nos braços dos outros
porque os nossos foram arrancados à força
e não sabemos lidar com a falta.

então, quase que pedindo ajuda,
fechamos os olhos, avistamos alguém
que nos faz brilhar o peito
e pronto,
nos jogamos

sem nem saber se os braços dele
comportam o peso e
tamanha ausência de amor.

sem nem saber se os braços dele,
assim como os nossos,
também foram arrancados.

o fim em doses homeopáticas

seu perfume

seu cheiro dormiu no meu pescoço
no encontro da minha respiração com a sua.

entre nós havia muito mais do que dois desejos
se encontrando:
havia uma atenção mútua de duas pessoas que
estiveram por muito tempo desencontradas
e que, agora, decidiam se encontrar.

perguntei ao universo por onde você esteve,
mas a pergunta correta a se fazer não era sobre tempo.
era sobre como eu tinha passado pelos dias ruins sem
ter visto seus olhos,
como eu tinha me atrevido a viver neste planeta sem
saber que alguém como você respirava.

seu cheiro morou nas minhas costas enquanto fazíamos
algo maior que amor,

textos cruéis demais para serem lidos rapidamente

porque acredito que você e eu construímos algo
incomunicável.
e, por essa razão, nosso silêncio não nos distanciava,
pelo contrário, fazia nossos olhos terem a obrigação
de dialogar
– e quando se faz amor, nada fica em silêncio.

você acessou todos os meus espaços.
seus olhos colocaram afeto numa parte do meu peito
que eu não sabia que estava tão desprotegida.

eu ergui os muros,
fui fiel ao meu próprio trabalho,
construí arduamente todas as fortalezas pra que
ninguém me invadisse,
nenhum tanque de guerra entrasse,
nenhuma mão sequer se aproximasse do meu coração.

e, de repente, não só suas mãos sentiram minhas
digitais,
como o seu DNA tocou o meu
e seu cheiro agarrou meu corpo
como uma criança agarra um brinquedo e não solta
mais.

ele vai comigo pra onde eu for
São Paulo ou Dublin
essa dimensão ou pra outra.
pra longe ou muito perto de você.
tanto faz, não importa,
ele resiste aos voos, aos outros corpos,
às ideias de novas pessoas na minha vida.

o fim em doses homeopáticas

você me disse que eu talvez encontrasse alguém lá fora,
mas eu não quero encontrar alguém lá
fora
é uma palavra muito distante do meu dicionário,
eu gosto de tudo que é de dentro,
das emoções ao sexo,
e com você não seria diferente.

eu vou voltar,
sei que vou.
e trarei na bagagem seu cheiro,
a sensação de você descobrindo lugares em mim,
os motivos pelos quais eu descobri que devo voltar.

eu preciso voltar.

pro seu cheiro ter novamente onde dormir,
e pras nossas respirações,
novamente,
terem com quem conversar.

a minha só fala o seu idioma.

ainda bem.

o fim em doses homeopáticas

cada um com sua parte

não posso te fazer feliz. mas posso te fazer ovo mexido pela manhã. não posso te fazer feliz. mas posso te levar ao cinema mais legal da cidade, que fica na minha sala, naquela televisão 32 polegadas que está quase caindo aos pedaços. não posso te fazer feliz. mas posso e devo gravar todas as suas falas de quando você acorda e me recebe com um bom dia. de quando seus olhos me fitam e me garantem a certeza de dias melhores.

ainda assim, não posso te fazer feliz.

não posso te fazer feliz. mas posso fazer seu doce preferido num dia banal da pior semana do seu inferno astral. eu definitivamente não posso te fazer feliz. mas posso elogiar seu cabelo ainda que eu prefira o corte anterior. eu não posso te fazer feliz. mas posso te mandar mensagem todos os dias no mesmo horário ou sempre que vir algo que me lembra você. *aqui, olha. isso me lembrou você,* direi. mas eu não posso te fazer feliz. nunca. jamais.

eu não posso te fazer feliz. ainda que eu receba as flores que você me deu com um susto no coração. eu não posso te fazer feliz. ainda que eu aceite você dormir na minha cama todos os dias pelos próximos vinte e cinco anos. não posso te fazer feliz. mas consigo me equilibrar entre o pavor de te ver ir embora e o entusiasmo de ver você chegar da maneira mais amena possível. nesse dia, em que eu perceber minha vida completamente vazia, um pouco oca sem você, farei um bolo de maracujá, que é pra lembrar: você não tinha a obrigação de me fazer feliz. eu tampouco.

eu não posso te fazer feliz. mas posso guardar todas as nossas memórias na camada mais íntima da minha pele: meu coração alegre em dias solares. eu não posso te fazer feliz. mas posso prometer tirar do seu rosto todos os sorrisos que iluminarão os cômodos de casa, os postes da rua do bairro e nossas vidas.

eu não posso te fazer feliz, mas prometo te dar todas as minhas verdades como presentes que a gente espera pra ganhar no fim do ano. todos os dias você terá minha honestidade abrindo caminhos para os seus pés.

eu não posso te fazer feliz. nem você a mim. e é assim que começamos qualquer relação romântica: sabendo que o outro só existe pra nos proporcionar os momentos mais confortáveis da existência.

o fim em doses homeopáticas

eu não posso te fazer feliz. mas você sim.
então vai. aproveita todas as sensações boas do universo
e dança com elas.

deste lado, estarei à sua espera. sendo feliz.
e completo
na minha própria felicidade.

o fim em doses homeopáticas

cariño

queria, com as minhas próprias mãos,
te arrancar à força do meu pensamento
e dos lugares pra onde ele vai.

se meu pensamento pega um ônibus, nele você está
porque eu faço questão de e s t i c a r sua existência
nos ambientes mais improváveis.
e eu odeio isso

odeio. *odeio.*

eu estico sua presença e automaticamente
você está comigo

nas festas
nos bares da Lapa
debaixo dos cobertores em dias de frio.

textos cruéis demais para serem lidos rapidamente

queria te arrancar com minhas mãos e jogar pra longe
queria não esbarrar contigo pelos corredores da
faculdade
porque, quando te encontro,
te encontro também pelos dias seguintes:
é a maneira que meu cérebro escolheu
de te perpetuar nos meus dias.

acho que descobri um segredo:
as pessoas vivem em nós a partir do momento
que nosso cérebro começa a recriar situações

– por isso tem sido tão difícil continuar com você
na minha cabeça, continuar com qualquer coisa:
beijos longos,
conversas profundas
diálogos efetivos
pois fico o tempo todo pensando
ele precisa sair de mim ele precisa sair de mim ele precisa
sair de mim ele precisa sair de mim ele precisa sair de mim
mas acontece que você não sai
caramba, você não sai

e meu cérebro continuará colocando você
nos lugares
ainda que esteja a quilômetros daqui
vou ver sua presença em espaços cuja existência
desconhecia.

e daqui pro mês que vem, eu sinto, tudo ficará pior.
seu sorriso vai estalar na minha mente sempre
que eu pisar o pé

o fim em doses homeopáticas

naquele prédio
e o tamanho do seu corpo será pra mim como um vigia
– não vou ter medo de nada se sua sombra me fizer
proteção

mas eu quero te tirar de mim
eu preciso te tirar de mim

porque quando te encontro há sempre uma festa
aqui dentro
que preciso conter
fechar as janelas
e aproveitá-la sozinho.

ninguém precisa saber
que estou num impasse
entre deixá-lo ir embora
ou arrancá-lo daqui.

ninguém precisa saber
que, quando você vai,
eu sou a única pessoa que continua dançando

sem música de fundo
sem fantasia de felizes pra sempre
sem nada.

terapêutico

escrevo este texto pra me acalmar
pra dizer que a dor não é a casa inteira.
por vezes é um cômodo que,
sendo temporário, posso trocar os móveis
mudar o tapete de lugar
abrir as janelas
pedir ar e proteção.

escrevo pra dizer que nem tudo e nem todos
vão passar
e é bom que não passem
é bom que permaneçam
e é incrivelmente bom que teçam sobre sua memória
tudo o que causaram
pro bem, pro mal
pra aquilo que seu coração guardou
e pra aquilo que desejou
não revisitar.

textos cruéis demais para serem lidos rapidamente

escrevo pra te tranquilizar
porque nem todas as pessoas merecem seu sacrifício
enquanto outros merecem seu esforço irreversível de
tentar qualquer coisa.
porque nem todos virão pra ficar
mas existirão aqueles
ah, aqueles
que farão do caminho uma eternidade compartilhada.

escrevo pra te dizer que hoje você viu o amor
andando pela casa
vestindo as roupas mais bregas do guarda-roupa
chorando vendo filme clichê
e imaginando como seria o próprio casamento.

escrevo pra te dizer que ele era você.

escrevo pra te falar que você não precisa se proteger de
tudo que te ameaçar a pele
porque você pode perder a experiência de vivenciar
tudo
tudo, inclusive a dor
e que não precisa correr de amar alguém
porque outros não souberam como te aninhar ou
descansar suas feridas

que você é grande e merece alguém grande também
mas que pode demorar
e que, enquanto a demora se fizer perene,
a vida se encaminhará de te colocar frente a frente
consigo próprio
todos os dias

o fim em doses homeopáticas

pra você aprender a conversar mais
e a dizer a si mesmo quão incrível e importante
você é

que o sinônimo de amor é você

você sendo inteiro
ainda que já tenham te feito aos pedaços
aos cacos
e ao pó.

três

todos os dias o céu acorda
na esperança de que nossos olhos
se encontrem outra vez.

o fim em doses homeopáticas

fall for you

eu te dei uma parte de mim porque acreditava que você
faria dela melhor
porque acreditava que você a olharia com olhos mais
serenos que os meus,
que olho pra mim e não vejo nada.

eu te dei uma parte de mim porque acreditava que você
colocaria meu coração
num altar coberto de flores e mel
porque acreditava que você teria calma e compaixão
com a disritmia do meu peito
e olharia pra ele como quem observa minuciosamente
as coisas bonitas do universo.

te dei uma parte de mim porque acreditava que você
fosse o homem dos
meus sonhos. porque você parecia um.
porque eu não sabia ser inteiro

textos cruéis demais para serem lidos rapidamente

e queria que outra pessoa carregasse o fardo que é ter
um buraco
no lugar do coração.
eu te dei uma parte de mim porque não conseguia
carregar a angústia de ser sempre abandonado.
e foi com essa parte que você teve de lidar.

eu te dei uma parte de mim porque nunca soube
como sustentar o peso que é saber que amo por dois, às
vezes por três
que carrego não só o peso do mundo, como também a
maneira como ele se desintegra e volta,
tranquilo, depois.

eu carrego todos esses dias chuvosos do Rio de Janeiro
e os dias imensos e intranquilos de São Paulo
e carrego o mar o oceano os desertos e os sertões.

eu carrego muita coisa – e queria te dar essa minha
parte.

te dei uma parte minha que acreditava no amor
porque eu não acreditaria mais por muito tempo
então tive que te dar pra que você tivesse a função de
continuar
esse caminho por mim
um caminho de fé.

dei a parte mais significativa
a que me equilibrava entre o sufoco e a calmaria
me fazia existir
colocava meu pulmão pra fora e dizia a ele:

o fim em doses homeopáticas

ainda vale a pena respirar
ainda que a poluição do desinteresse circule pelos ares
da cidade.

eu te dei tudo
como quem acredita
erroneamente
em salvação.

como quem acredita
– cega e infelizmente –
que o outro sempre dará conta
de tudo o que existe em nós
de tudo o que não alimenta
de toda essa fome que não tem nome
e vive no fundo do peito.

o fim em doses homeopáticas

pontes ou estepes

se você for embora de alguém,
o que pode acontecer amanhã ou mês que vem,
certifique-se de que sua ida não será o começo
da derrocada dela, de sua descrença
em relacionamentos.

certifique-se de que você não será o ponto central
pra que ela deixe de acreditar no amor.
tenha certeza de que você não será a pessoa a quem ela
se referirá pra dizer que nunca mais vai querer relação
alguma.

se quiser ir embora de alguém,
mês que vem ou daqui a duas semanas,
assegure-se de que sua ida não será um soco
no estômago
não pisará em todos os sonhos que ela tinha
de conhecer alguém bacana e gentil

textos cruéis demais para serem lidos rapidamente

de que sua ida não será, pra ela, um motivo pra desistir
de coisas, pessoas e situações.

porque a gente consegue, sim,
ir embora de alguém sem dor.

a gente consegue, sim, deixar a luz do cômodo acesa
pra que ela não se perca em si mesma
mas continue iluminada.

se você for embora de alguém
certifique-se de que deixou seu coração tranquilo
sabendo que há pessoas que não foram feitas
umas pras outras mesmo,
e tudo bem.

tenha certeza de que sua ida não será o marco pro qual
ela vai olhar e se arrepender de ter vivido.

a gente precisa entender que nem todo o fim é sobre dor
ou grandes feridas.
às vezes é só a vida nos permitindo sair e apreciar
outros céus, enxergar outros olhos, se arranjar em
outros corações, habitar outras peles, vestir outras
emoções.

se você for embora de alguém
certifique-se de que sua ida não seja pra ela o começo
da incredulidade na vida
o motivo pra ela nunca mais tentar.

textos cruéis demais para serem lidos rapidamente

porque o gesto mais bonito que pode existir no fim
é a possibilidade implantada de outros
e novos recomeços.

se terminou
é porque começou algo em um novo tempo
com outro alguém – nem que seja consigo mesmo.

se você for embora de alguém
certifique-se de que sua ida não será a mágoa
que se estende e fica *entre os dois*.

que num futuro próximo
talvez
vocês consigam se encontrar
pra entender que
é no fim que a gente compreende quem somos
quão honestos e gentis podemos ser

quem fez da nossa vida um estepe
e quem fez dela uma ponte.

o fim em doses homeopáticas

ele não vai mais voltar

eu não quero que essa história termine. não quero contar aos meus amigos que não conseguimos lidar um com o outro.

eu não quero ter que falar de você na terapia sobre como todos os meus sonhos foram derrotados pela minha insegurança pela sua incapacidade de lidar com minha intensidade.

não quero terminar a gente porque terminar a gente é terminar com muitas partes minhas que confiaram em você, que agarraram sua mão quando todos te viraram as costas, que te abraçaram enquanto o mundo lá fora era apenas caos e dor.

e eu não quero ter que ir aos lugares e ouvir as pessoas perguntando por você. meus ouvidos ainda não estão preparados pras conversas sobre como éramos o casal

textos cruéis demais para serem lidos rapidamente

perfeito, o casal mais feliz do mundo, os mais conectados e apaixonados.

não quero sair e ver que você ainda está por aí; é que tem você em cada palavra, em cada cheiro, em cada voz.

eu não quero que a gente acabe porque não quero ir aos lugares pra acabar com você. pra te superar ou pra te esquecer. eu não quero esse trabalho agora, esse difícil e doloroso processo de revisitar locais pra pegar de volta as impressões acerca deles. pra, enfim, fazê-los meus novamente. eu não quero terminar a gente porque terminar a gente seria te deletar de todos os caminhos que, com tanto trabalho, construí nesses últimos meses.

eu não quero que a gente acabe.

porque, se a gente acabar, meu encanto pela praia vai por água abaixo pelas próximas semanas. não vou ter vontade de ver o sol se pôr em Ipanema, não vou querer ir aos bares em Botafogo, meu paladar pra pizza e festas vai esmorecer. e eu não queria perder a cidade queimando e passando rente à minha pele; eu não queria perder todos os seus amigos que acabaram se tornando os meus; eu não quero perder a vontade de assistir aos filmes românticos dos cinemas alternativos do Centro, eu não quero ficar em casa esperando a vida passar enquanto eu vou chorar você, vou chorar nós, vou chorar tudo.

eu não quero que a nossa história termine porque tem muito de mim nela, e eu tenho medo de não sobrar muita coisa quando você sair pela porta do apartamento pra nunca mais voltar.

o fim em doses homeopáticas

pra dias ruins

em dias ruins, não se esqueça de levantar os braços
e agradecer
não só pelo que você tem agora, que dói e causa
sofrimento,
mas também pelo que virá através das chuvas, do sol,
dos dias solares
dos solenes.

os ventos te dirão pra onde ir, de onde tirar seu corpo
e onde colocá-lo
pra que ele cresça, se desenvolva, ganhe postura,
força e esteja preparado
de novo, pra outra queda
e outro renascimento.

em dias ruins, erga os pulsos o mais alto que puder
e dance aquela música que só você entende,
aquela que te diz coisas

textos cruéis demais para serem lidos rapidamente

que só seus ouvidos conseguem ouvir
e que conversa com seu coração
sobre ideias que você não teve nem com seus melhores
amigos.
agarre esse momento pequeno e torne-o eterno:
pra tua memória.

em dias ruins, não se esqueça de que a dor
não fica na casa pra sempre
que ela, de vez em quando, sai e vai dar uma volta
tomar um sol, se distrair.
nesses dias de folga, apronte-se
pra ter os melhores dias da sua existência.

quando a dor tiver saído, trate de fazer a comida que
mais gosta
e de vestir as relações que mais te confortam.
ouça o som do peito batendo devagar
e ligue pros seus pais pra ouvir a voz deles.

assista a vida escorregando pela sua pele
de maneira sublime como nunca antes
e então agradeça, também, por esses dias tranquilos
em que dor e cura conseguem se alinhar na mesma
frequência.

em dias ruins, faça de si mesma a própria esperança no
amanhã
e trabalhe pra que seu corpo não seja esmagado pela
tristeza
que volta e bate à sua porta.
diga a ela: *há sempre uma saída*

o fim em doses homeopáticas

nem que pra isso você a crie com as próprias mãos
nem que "saída" seja você fazendo uma força brutal
de escapar dos piores dias com o coração machucado
mas, ainda assim, inteiro.

e no final, no final de um dia ruim
de uma semana infernal
de um mês que poderia ser apagado da sua vida,
lembre-se de olhar pra si mesma
e de entender que seu coração dança
mesmo que seu corpo não tenha motivos pra comemorar:
ele vive.

                ele ainda vive.

o fim em doses homeopáticas

playing games

quantas vezes você usou alguém
como ponte pra outra pessoa que você deu conta
de criar, alimentar e pôr num altar?

quantas vezes você colocou alguém, tão inocentemente
perdido,
à frente do seu caminho pra que ele não fosse só,
porque até chegar àquele outro tão esperado,
demandaria tempo e espaço?

quantas vezes seu egoísmo foi seu travesseiro à noite e
você dormiu tranquilamente enquanto, na outra ponta,
o alguém-buraco chorava até não aguentar mais?

como fica quem você usou? como se reconstrói depois
da chuva que foi você em sua vida? com qual coração
resguardará seu espírito e com qual tentará, de maneira
falha, não se machucar novamente,

textos cruéis demais para serem lidos rapidamente

se você já a machucou tanto que poderia nunca mais
acreditar no amor?

quantas vezes você
– pra evitar a solidão –
colocou alguém no seu caminho
pra serem solitários juntos?

quantas vezes você deixou alguém
tão infeliz
que o mundo seria capaz de se desintegrar?

e quantas
quantas vezes você tocou em alguém
pra chegar no prazer de ter qualquer sensação
que suprisse a ausência da vida
sobre seus ombros?

quantas vezes você usou o corpo de
outra pessoa como depósito de
sentimentos falhos e tardios?

quantas foram as vezes que
você se vestiu de amor
quando, na verdade, tudo o que queria
era passar o tempo?
quando foi que te ensinaram que
amar alguém é sinônimo de usá-la?

quantas vezes você foi tão negligente
que precisou usar o coração de alguém
pra que seus vazios pudessem repousar?

o fim em doses homeopáticas

e depois você pegava as malas, as mensagens do celular
as conversas, as expectativas
e fugia, calado, sem explicar?
você apenas ia

seguindo seu caminho

encontrando outras pessoas pra usar
e depois abandoná-las novamente
pra continuar seguindo
rumo a alguém idealizado
alguém que nunca existiu
alguém que nunca esteve aqui.

quantas vezes você
colocou alguém no seu caminho
porque precisava de algo
que te distraísse
do fato de não conseguir lidar
com os traumas que
outros, como você,
deixaram na sua pele?

o fim em doses homeopáticas

premonições de quarta-feira

você amava tanto o fato de ela te agarrar pela manhã e
te fazer cócegas até sua respiração por pouco ir embora.
você adorava quando ela te olhava nos olhos, na primeira
hora do dia, pra dizer que você era a mulher da vida dela
– e escutava, silenciosamente, todos os elogios, porque
não sabia como reagir a eles. você não sabia ser recíproca
com falas em que não acreditava tanto assim.

amava o fato dela enxergar camadas em você porque
você mesma não as via, e se encantava por ela decorar
todos os seus costumes, a maneira polida como falava
com seus pais, os maneirismos quando com os amigos,
os tiques com a testa quando algo a desagradava.

você adorava essa capacidade que ela tinha de saber o
que estava sentindo mesmo sem se falarem. no meio de
qualquer festa ou situação, só de te olhar, ela sabia que já
era hora de ir.

você amava que ela te levava o café da manhã, e que faria isso inúmeras vezes só pra te ver sorrindo. *seu sorriso é o caminho mais bonito entre uma extremidade e outra*, ela dizia.

mas algo se perdeu e deixou de ser amor.

porque antigamente você achava graça no fato dela te elogiar a todo momento, como se estar contigo fosse uma bênção, uma vitória a se comemorar. ela se gabava de ter a mulher mais linda do mundo, e você, sem saber muito bem o que dizer, apertava a mão dela, com vergonha, mas igualmente lisonjeada, pois finalmente havia encontrado alguém cujas expectativas e projeções eram compatíveis.

você se orgulhava da relação que tinha quando ia aos restaurantes e a apresentava aos amigos, certa de que ouviria elogios sobre como combinavam; o quanto uma era a alma gêmea da outra, e como eram sortudas de se terem,

o fim em doses homeopáticas

já que é raro encontrar alguém que quer ser encontrado. você se orgulhava da sensação de proteção que ela te causava, uma vez que "na saúde, na doença" fazia todo sentido com ela. vocês se preparavam pro mundo caindo quando uma adoecia. ela procurava todos os remédios pela casa, junto com as cobertas, edredons, filmes e chocolates. e assim passavam horas, uma sendo o porto seguro da outra.

você sabia que podia contar com ela em todos os momentos da sua vida, até nos inimagináveis, como naquela vez que bateu o carro e ela saiu correndo no meio do expediente pra te ajudar a empurrar uma lataria que pesava o mesmo que três elefantes. você sabia que não estaria sozinha, mesmo que quisesse, e que era a isto que, no final das contas, acabou se apegando.

deixou de ser amor pra você não de repente, como quando algo grave acontece e é preciso cortar o laço, o cordão umbilical, a rotina dos dias e as ligações entre famílias. deixou de ser amor pra você muito antes de ser, quando a sensação do vazio se estabelece entre vocês e mesmo que queira muito, ainda assim, não é suficiente. você perde a conexão nesse caminho; há uma ruptura silenciosa que pinta os dias e os torna quase que insuportáveis.

não é que você deixou de amá-la. é que o amor já não fecha a conta, não paga a equação difícil que é se encaixar no outro, e, às vezes, em seus gostos, manias e detalhes que antes uniam vocês. não é que o movimento de amar alguém se vai assim, do nada. por vezes ele nem vai.

textos cruéis demais para serem lidos rapidamente

é que de repente, num sábado chuvoso de feriado nacional, ou numa quinta-feira quente e difícil, você acorda e se percebe no caminho errado, com a pessoa errada, no momento errado. e aí tudo desmorona. tudo desaba na sua cabeça feito um prédio de trinta andares. tudo cai em cima dos seus planos, da viagem do próximo mês, das férias planejadas e que agora te assustam porque, no fundo, sabe que não vai mais acontecer.

algo entre vocês se perdeu e ela te acordando pela manhã já não faz cócegas no seu cérebro. seus elogios já não são como abraços apertados que você gostava de receber e as saídas pra bares e restaurantes se tornaram um sacrifício do qual você, em breve, abrirá mão.

porque o fim do amor às vezes vem assim, silencioso, e ninguém nunca avisa. não nos contam que amar alguém não é passar a vida inteira com ela, e que na mesma medida em que ela vem, ela também pode ir. assim, sem grandes estratégias ou consternações. assim, no dia mais normal do mês que teria tudo pra solidificar suas escolhas em relação a passar o resto da vida com aquela que você elegeu porque ela estava ali, pra tudo.

o fim em doses homeopáticas

calçada

não se perca nessa tentativa de encontrar qualquer
pessoa que cubra esse buraco que te deixaram.

não se perca tentando qualquer coisa que te faça mais
intacta e menos humana – porque ser invencível parece
ser sempre a melhor opção.

tente não quebrar a cara com qualquer pessoa
que pareça apenas *razoável*.

você não as merece.
você não merece nada *razoável* na vida.
da comida ao sexo. do prazer a tudo que pode encher
seu coração de satisfação.

não se perca tentando achar a sua cara metade, porque
isso não existe. *o que existe são pessoas tentando fazer
dar certo*. e aí dá errado de novo, pra depois dar certo e
assim sucessivamente.

textos cruéis demais para serem lidos rapidamente

é a vida, no final das contas, sendo o que ela é em sua essência: uma eterna corrida. mas você pode escolher quais caminhos trarão ao seu corpo a adrenalina da felicidade.

eu sei que dá medo ser feliz assim, sem culpa.

que dá medo ser feliz, ter dias leves e ter alguém que não te cobra ou te desmancha. que, de repente, quando você vê a felicidade de perto, dá vontade de correr. mas aí, quando essa vontade vier e tentar te sufocar, tire o sapato, deixe os pés descalços, prepare-se pra ficar.

quando você tiver a certeza absoluta da fuga, aí, nesse momento, é que você se prepara pra ser vulnerável. vulnerável a algo. a *alguém*. não porque essa pessoa é sua cara metade, mas porque ela despertou em você o caminho. ela *se tornou* um. só não se perca tentando encontrá-lo desesperadamente.

acontece quando menos se espera.
quando a gente senta pra dar uma descansada e ver a vida passar. até que ela nos leva e a gente entende que nem tudo é sobre procura.

às vezes é sobre encontro.

o fim em doses homeopáticas

estranhos

meu maior medo é continuar nessa relação por não
saber como ir embora
e a gente se perder de uma maneira tão brutal
que nossas novas versões já não façam sentido
um pro outro.

o fim em doses homeopáticas

o momento antes do voo

que gosto tem aquele último dia
aquele último respiro frente ao seu rosto
rente à sua pele
aquela sensação
de que você viveria pra sempre com ele?

que gosto tem aquele último dia
que parecia ser o começo de uma vida inteira
juntos?

o último dia que você jurou ser o primeiro
de uma caminhada rumo a algo maior,
porque a gente sempre acha que o dia tem gosto de
eternidade e que vai durar.

que gosto tem aquele último dia em que vocês foram ao
mercado,
compraram porcarias, viraram a noite vendo séries,

textos cruéis demais para serem lidos rapidamente

caíram no sono, acordaram pela manhã e fizeram amor?
que gosto tem saber que aquele foi o último sexo,
a última conexão entre os corpos?

o que você sente?

que gosto tem o último dia em que ele te olhou nos
olhos
e o mundo parou, porque você estava apaixonada
demais
pra se preocupar com qualquer outra coisa?

que gosto tem a memória dele fechando a porta e
você feliz demais porque, enfim, alguém te colocava
num lugar confortável, de entrega e afeto?

que gosto tem aquele último dia em que vocês
cantaram no karaokê da cidade e ele
parecia brilhar?

você pegava as mãos dele e dizia quanto o amava
sem imaginar que, se ele fosse embora,
perderia toda a confiança em alguém novamente
sem imaginar que perderia o ar que
compartilharam por tanto tempo,
e depois as roupas, os encontros
as palavras, as discussões
e essa sensação tão boa que aparece quando
alguém diz: *estou pronto*
e você também está pronta
e prontos vocês caminham.

textos cruéis demais para serem lidos rapidamente

que gosto tem aquele último dia em que você
rezou agradecendo que ele estava lá,
te esperando na porta, debaixo de chuva,
com a cidade toda sob a escuridão?
ele estava lá e poderia te incendiar por inteira.
e você agradecia porque finalmente alguém
via na sua vida um sentido pra também continuar.

que gosto tem aquele último dia em que você colocou
as mãos sobre o peito e agradeceu,
enquanto as mãos dele seguravam o milagre que era
aquele momento que estavam criando?
você olhou em seus olhos e sussurrou
qualquer coisa como *que bom ter você aqui.*

que gosto tem aquele último dia, quando ele te
levou pra conhecer os pais?
a mãe dele jurando que você seria o próximo amor da
vida dele
e você se desmanchando inteira pra não dar vexame
você fazendo o máximo que podia pra parecer
polida, educada, satisfatória.
você tentou ser a melhor pessoa
pra alguém que mal conhecia.
isso dizia muito sobre seu amor,
seu inteiro e imenso amor.

que gosto tem aquele último dia em que
você pensou ser o primeiro
o início
o começo de uma vida toda?

lealdade

te carreguei no peito
como quem tinha sede
mas nenhuma projeção
de água pelo caminho.

o fim em doses homeopáticas

praia do recreio

você acendeu minha esperança
ateou fogo no meu desejo
e transformou o meu corpo naquele mar
que me derrubou enquanto você ria de como a areia
já sabia das minhas digitais mais do que qualquer
pessoa daquela orla.

você não se importou em ouvir minha voz cansada por
horas e horas
e me olhou com a paciência de monges tibetanos.

você viciou minha retina na sua presença

e fez minha memória dar as mãos pra qualquer pessoa
que parecesse minimamente com você.
por onde passo, fico te lembrando e te eternizo
nas ruas, nos postes, nas vielas da cidade.

textos cruéis demais para serem lidos rapidamente

você me deu uma energia que eu não sabia que ainda
se movimentava dentro de mim
e eu fiz dela meu elo de ligação entre eu e você.

*todos os dias, antes de dormir, rezo pra que o teto
que te acolhe saiba como te preservar.*

você me deu a adrenalina de quando a gente começa a
gostar de alguém: peito quente, pensamento manso e
todas aquelas sensações que soam idiotas e que foram
descritas milhares e milhares de vezes nos livros de
ficção.

você me leu e gostou da leitura
e seus olhos leriam mais e mais de mim.

você, que apareceu do nada
e do nada se foi também.
você que era pra ser tantas coisas
foi muitas delas
só não a pessoa que ficou.

estamos indo pra sentidos opostos, levando cada um a parte desta história que, agora, existe no mundo, mas de maneira incompleta: estranhos vão ouvir de você que eu fui o amor da sua vida.

fim

o fim em doses homeopáticas

quando o fim vira pressentimento

conseguimos prever o fim?

quando a mão deixa de aquecer e passa a causar desconforto. quando o olhar deixa de penetrar a pele, pra fazer queimar e acender dúvidas. a gente consegue antecipar o fim? quando você sabe que não existe um "lá na frente", e que o presente é tão incerto quanto a previsão do tempo pra sexta-feira que vem. e aí, nessa constatação imediata e dolorosa de que já está acabando, o que você consegue fazer é abaixar a cabeça, engolir bem o choro e encarar aquela pessoa que agora não passa de mais uma desconhecida entre muitas que você tem. o fim é aquele atalho que seu coração toma pra não te ver sofrer mais. aquele remédio pra uma dor que vem de muito antes, porque já está tão inerente ao seu corpo que deixou de ser dor pra virar seu próprio DNA. a gente consegue prever o fim pois o fim deixa de ser algo trágico pra se transformar em outro ciclo, em outra maneira de ver a vida e se curar.

textos cruéis demais para serem lidos rapidamente

aquela adrenalina que você sentiu quando ele chegou em casa tarde da noite não era só amor. porque sentir amor é fácil: o peito acelerado, a ânsia da pessoa, de estar com o corpo interligado ao dela, de misturar os cheiros e fazer o melhor sexo que poderiam. é sobre saber que daqui um tempo não existirá essa espera. não terá a mensagem de *está chegando?* e a sensação boa de ter um porto seguro ao qual se agarrar. a tontura vem de sentir que nunca mais aquela pessoa estará ali às dez da noite pra te contar dos dias, pra dizer que as coisas no trabalho andam estranhas e que você é o único motivo bom pra continuar. você sente esse medo porque sabe que nunca mais ouvirá da boca dele que você é especial. o fim está ali, na sua frente. e você não tem muito o que fazer, a não ser empurrar com a barriga e torcer pra que a força seja suficiente, pra que os dias passem rápido e de uma maneira ou outra vocês consigam ficar tão juntos, tão unidos, tão ligados, que depois será difícil se desligar. o que não te contaram é que é sempre difícil se desligar.

e você vai sentir falta. meu deus, como vai. do espaço milimétrico do corpo dele junto ao seu naquela cama que abrigou planos e tantos diálogos. do corpo dele atrás do seu pouco antes de vocês caírem no sono, aquele incômodo do braço dele no osso das suas costas, mas que não doía porque estar ali era maior do que qualquer outro desconforto. vai sentir falta da respiração dele logo pela manhã, acordando seus sonhos e sua preguiça. e dele te olhando tão minuciosamente que, pelo resto do dia, o mundo poderia desabar. porque, na sua mente, você só veria aqueles olhos.

o fim em doses homeopáticas

é inevitável o fim. *vou arrumar as malas enquanto você está no trabalho.* abrir mão de você será a pior dor da minha vida inteira. pior do que se perder e não saber como voltar pra casa. porque casa pra mim é sinônimo dos seus braços envolvendo meu corpo. casa pra mim é quando você me faz esquecer que existe tanta maldade no mundo. quando você é todo o meu. casa é quando você diz que me ama com sua voz quente e mansa, e todas as células do meu corpo descansam por horas e horas.

estou arrumando minhas malas. os perfumes que você me deu. o que era seu favorito e passou a ser o meu. os livros que li pra você pouco antes de dormir. as memórias de quando nossas escolhas não nos feriam.

e aí o fim. que eu senti naquele sábado à noite em que você pareceu mais ansioso por ver o mundo lá fora. que sua alma parecia estar em outra esfera, não naquela em que estávamos construindo há tanto tempo. que seus desejos estavam desalinhados com os meus. aquele sábado em que segurei o choro por horas pra parecer mais forte, e que no fim acabou se desfazendo em um tremor no corpo enquanto você me segurava e a gente se perguntava *o que estamos fazendo? como a gente pode machucar tanto outra pessoa que amamos? como a gente pode entrar um no caminho do outro, se chocar e ir embora assim, no meio de uma semana banal?*

e pensar que eu senti o fim, que aconteceu quase como receber um soco na cara e não saber o que fazer. eu não soube o que fazer. me desculpa. desculpa por te deixar ir embora e por querer ir embora também. é só que eu

textos cruéis demais para serem lidos rapidamente

não podia continuar me machucando pelas opções que você tinha agarrado com as mãos e não queria soltar. as minhas estavam livres esse tempo todo.

você conseguiu prever o fim?

o fim em doses homeopáticas

não se perca pelo caminho

às vezes você precisa deixar ir. e é isso. nada de bonito.
nada de glamuroso. nada de poético. é só choro. tristeza.
e uma vontade absurda de correr e gritar e chorar
ainda mais. de fazer terapia pra ver se compartilhar o
peso da dor te alivia. mas não alivia nunca. porque a
memória ainda está ali, te queimando vivo. às vezes,
você precisa deixar ir – e é isso. na cara dura mesmo.
sem meias conversas. sem remediações. você fecha
a porta, troca a fechadura, muda de caminho, muda
de número, bloqueia, deseja o bem, mas nunca mais.
nunca mais conversas por horas, nunca mais planos e
viagens e presentes e cerimônias e festas na casa dos
amigos. e é tão triste, porque até os amigos dele você
perde. o convívio social. dói deixar ir porque com ele
vai muita coisa, às vezes até você mesmo – um pedaço
do que você tinha construído e achava que era seu. e
é absurdo porque você pensa *me devolve! me devolve
essa parte que era minha!* e essa parte, esse pedaço, não
volta. ele também levou um outro você. ele levou seu

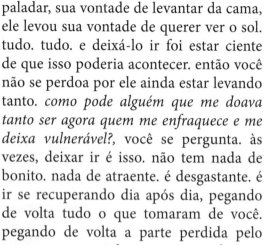

paladar, sua vontade de levantar da cama, ele levou sua vontade de querer ver o sol. tudo. tudo. e deixá-lo ir foi estar ciente de que isso poderia acontecer. então você não se perdoa por ele ainda estar levando tanto. *como pode alguém que me doava tanto ser agora quem me enfraquece e me deixa vulnerável?*, você se pergunta. às vezes, deixar ir é isso. não tem nada de bonito. nada de atraente. é desgastante. é ir se recuperando dia após dia, pegando de volta tudo o que tomaram de você. pegando de volta a parte perdida pelo caminho. a perna que ficou. o pensamento que estagnou. recuperando a saúde que decidiu repousar e parar de funcionar. deixar ir é saber que a cura às vezes demora. mas que uma hora vem. pra te dizer que era tempo mesmo de abandonar o barco. e de continuar por você. *continuar*, porque é o único verbo que impera pra todos os fins. *continuar*, que é verbo que você leva no coração pra não esmorecer ou desistir. dói muito abrir mão de alguém que você por tanto tempo conviveu e compartilhou. abrir mão de alguém que viu suas guerras e

o fim em doses homeopáticas

suas vitórias, que viu as vezes que caiu e todas as outras que levantou como se nada tivesse acontecido. abrir mão de alguém que durante um tempo se mostrou ser aquela que estaria lá dos momentos mais frágeis aos mais simples, e que agora não está nem quando você precisa ouvir que tudo vai ficar bem. mas vai. porque, no final, sempre fica. você sempre supera. você sempre segue em frente. com ou sem a perna que deixou pelo caminho. com ou sem a pessoa que ele levou de você.

o fim em doses homeopáticas

questionamentos

o que eu faço com esse amor? me explica. explica onde
eu coloco a minha vontade de continuar com você,
porque agora, agora eu não sinto desejo algum de
permanecer. e eu te amo tanto pra não saber como agir.
o que eu faço com esse amor que guardei durante todo
esse tempo mas que agora não faz sentido te entregar
porque você mudou e eu não sei como te acompanhar?
me diz como eu faço pra ir com você nesse caminho
que eu desconhecia, mas agora conheço até demais
e não me faz bem. o que eu faço com esse amor que
até agora me colocava pra dormir ao seu lado sem
nem questionar quais seriam nossos assuntos? se
agora existe esse silêncio que é tão, mas tão profundo
e doloroso, que nossa relação parece ainda mais frágil
de perto. o que eu faço com essa vontade de arrumar
as malas e bater a porta, já que não damos mais certo?
se você está a um centímetro do meu lado na cama
mas parece estar em outro continente. se você coloca

textos cruéis demais para serem lidos rapidamente

a mão em mim e eu sinto o frio do Ártico entrando pelas minhas veias. se continuamos a nos amar, mas nosso amor não é suficiente. o que faço com todas essas sensações estranhas do fim enquanto você me olha e diz que ficaremos juntos o resto das nossas vidas?

o fim em doses homeopáticas

destino

me pergunto por que fiquei
tanto tempo com você.
se era medo de não haver
caminho algum depois de nós
ou se o futuro era apenas solitário demais
pra quem nunca soube ser sozinha.

destino

o fim em doses homeopáticas

what about love

e se a gente não se machucasse mais? e se a gente parasse com as segundas chances que na verdade se tornaram quartas e quintas e sextas e admitisse que não está dando certo, que fomos incapazes de fazer com que nossos corações permanecessem na mesma frequência? e se dissermos que conseguimos ir bem até certo ponto e depois tudo o que aconteceu foi uma sucessão de tentativas dolorosas de fazer com que o amor se transformasse em piedade e depois afeto e depois tato e depois o mínimo cuidado que fosse? e se fôssemos embora de vez, cada um pra um lado, como se não tivéssemos nunca mergulhado um no fundo do poço do outro? como se não tivéssemos sentido na pele tudo o que o outro sentia e tivéssemos sobrevivido aos piores dias um ao lado do outro, tão juntos e próximos que o mundo lá fora não parecia real.

e se admitíssemos que fomos felizes? e que depois de um tempo a felicidade passou a frequentar um país chamado

textos cruéis demais para serem lidos rapidamente

Zona de Conforto, e que nós perdemos a vontade de ser bons um pro outro, porque ser bom já não fazia mais sentido. que nós perdemos a capacidade de compreender a dor do outro, o momento do outro, os dias pesados, os traumas de muito tempo, as escolhas diferentes. e se você me visse menos como uma projeção da sua cabeça e mais como eu realmente sou? e se, ao me enxergar como de fato eu sou, me deixasse ir embora, pra que você também vivesse da forma como bem entendesse, sendo de verdade e sendo direito? e se eu te visse como você realmente é, tirando o peso que é criar pessoas que não existem pra sustentar o que é insustentável? e se tivéssemos não só tirado as roupas, mas as camadas que criamos com o passar da relação? e se assim enxergássemos um no outro a capacidade humana de perdoar e deixar ir? e se, ao desconstrui-las, tivéssemos a gentileza de respeitar a especificidade um do outro, a maneira como entendíamos a vida, depois a maneira como queríamos vivê-la e, por fim, a maneira como queríamos seguir, eu sem você e você sem mim?

e se tivéssemos seguido lembrando um do outro com caridade, sem trazer à mente de maneira dolorosa os momentos infelizes mais do aqueles em que fomos muito felizes? e se eu tivesse tentado te perdoar, porque perdoar diz muito sobre a habilidade de voltar atrás e amenizar os danos? e se você, ao me escutar pedindo perdão, também pedisse, e de repente a gente tivesse se doído menos? se cortado menos. se ferido, rasgado, se perdido menos.

e se tivéssemos tido coragem pra acabar com aquilo que estava acabando com a gente? se tivéssemos tido a

o fim em doses homeopáticas

capacidade de abrir mão enquanto ainda havia amor e respeito e admiração; enquanto ainda havia uma vontade de permanecer mesmo que soubéssemos que éramos diferentes demais pra ficarmos juntos pela eternidade; ainda que soubéssemos que não conseguiríamos atravessar as próximas primaveras; ainda que soubéssemos que, no meu próximo aniversário, estaríamos cada um num canto da cidade, quem sabe com alguém diferente, quem sabe com outros planos e com a cabeça em outro peito. e se tivéssemos tido coragem pra abandonar o barco antes que ele afundasse?

aqui não estaríamos eu e você: incomunicáveis. intransponíveis. esquecidos um no calabouço da memória e coração do outro, onde ninguém alcança.

onde ninguém quer habitar.

o fim em doses homeopáticas

nada/tudo

desta vez não me rebelo
não grito alto pra que os vizinhos me ouçam
não estendo nenhuma bandeira pedindo paz ou trégua
não desfaço amizades ou pontes
não permito que a mágoa corroa a membrana que
envolve o coração
não deixo que a raiva consuma minha vontade de tentar
de novo
com alguém mais responsável.

desta vez não permito que você me fira
e tire minha capacidade de ainda me encantar
com o amor entrando pela janela do meu quarto e me
convidando pra viver.

desta vez não vou chorar ou destruir o altar que fiz pra você
nem contar às pessoas quão ferido e manchado você
tornou meu ego.

textos cruéis demais para serem lidos rapidamente

não vou espernear em frente à sua casa e pedir
reconciliação
nem escreverei nas escadarias do seu prédio
todas as palavras de ódio que você me destinou.
não vou transformar sua indiferença em vingança
não vou te dar o poder de me ter como seu refém depois
do fim.

desta vez, apenas aceito meu caminho
agora sem você
desta vez, apenas aceito minha solitude e
pra ela ergo um altar maior do que criei pra você.
enfeito minha solidão com flores e palavras gentis
e com ela me deito à noite e acordo pela manhã.

desta vez, ilumino o olhar pra mim e pro que me tornei
depois de você me devastar com sua desonestidade.
desta vez, não permito você notar o caos que me
habitou.
não romantizo você ou a má pessoa que foi pra mim
e não ponho seu nome nos outdoors da cidade
nem desenho seu rosto na porta do meu apartamento.

você não tem mais nada de mim.

não adoro a pessoa que criei de você
nem torno você especial por ter me mostrado maneiras
de seguir.
existem outras formas de ensinar esse caminho.

desta vez, não poluo as águas do bairro
nem saio em maratona correndo atrás de um fio de você

o fim em doses homeopáticas

que ficou pelos ares
não tento te enxergar pelas janelas dos ônibus
nem ouso falar de você nas rodas dos amigos da
faculdade.

desta vez, não coloco seu abandono pra dormir
ou pra se alimentar pela manhã.
desta vez, não permito que a mancha que deixou em mim
se torne motivo de gritar ou tomar conta da minha boca.

desta vez, não deixo a catástrofe que foi você
me impedir de receber outras pessoas
de poder me admirar com elas
de acreditar tão piamente no amor
que todos os meus traumas não são nada perto
da vontade de ser feliz.

porque eu quero ser feliz
e muito.

o fim em doses homeopáticas

the less they know the better

você não vai me apresentar à sua família
e seus amigos nunca vão ouvir falar de mim
que ocupava dois quartos da sua cama e te chutava
várias vezes durante a noite.
que balbuciava durante o sono e te preocupava com os
meus pensamentos.

eles nunca saberão que minha omelete é melhor que
a sua, embora você acredite fazê-la melhor do que
ninguém. e eles nunca vão saber que, antes mesmo
de dormirmos juntos, tínhamos nos esbarrado em
uma festa e nos ignorado. era como se soubéssemos
que poderíamos nos apaixonar tão facilmente... se
deixássemos.

eles não vão saber que te vi despido e que você me fez
almoço como
um pedido de desculpas e por querer se reconciliar

textos cruéis demais para serem lidos rapidamente

– mal você sabia que eu já
tinha te perdoado antes mesmo de você errar.
porque eu sabia que você me deixaria aqui sozinho e,
mesmo assim, resolvi encarar a nossa história e vivê-la.

seus pais não vão ouvir a história de que nos
conhecemos acidentalmente pela internet
numa quarta-feira em que caía o mundo: eu saí da
minha casa pra ir até à sua
sem saber o que viria de você.

sua melhor amiga não vai ficar sabendo que você me
deu sua pizza porque
eu estava com mais fome que você
e que, depois do nosso último encontro,
logo depois do almoço, em vez de fazermos amor
a gente fez uma cama no sofá e pegamos no sono.

te vi respirar fatidicamente e sabia que seria a nossa
última vez.

eu conto, sempre, as Últimas Vezes
digo: *essa vez é a última vez que o verei*
essa será a última vez que vou conseguir
captar qualquer coisa que ele solta distraído

será que é mesmo?

você não vai me apresentar aos seus amigos
porque sou diferente de todos as outras pessoas que
amou.

o fim em doses homeopáticas

eu não sou tão bonito, não tenho o corpo grande e o
nariz afilado
não entrei dentro da caixa onde estão todos os outros
pelos quais você já se apaixonou

eu não coube no seu molde

e estou aqui, do lado de fora
da caixa,
do seu apartamento
e de você
tentando entender por que comigo é sempre tão difícil
por que o amor é sempre rápido ou pouco demais
por que eu sempre sinto que estou tentando preencher
lacunas de outras pessoas
que passaram e deixaram um vazio.

e eu te pergunto:
estou?

o fim em doses homeopáticas

river

eu poderia ter pedido pra você ficar, mas, se você ficasse, eu teria de ir. eu poderia ter pedido pra você escorregar um pouco mais o seu braço pelas minhas costas tarde da noite, três vezes por semana, especificamente segunda, quarta e sexta, mas, se eu te pedisse isso, estaria deixando de dormir com o indivíduo mais importante da minha vida: minha consciência. e embora eu amasse seus braços longos e carinho infinito, meu bem, dormir comigo não tem preço.

eu poderia ter deixado você ficar um pouco mais preguiçoso na minha vida, um pouco mais relaxado, um pouco mais daqui-a-pouco-eu-faço, mas eu precisava tanto de alguém faço-agora, faço-hoje, faço-sim.

e eu poderia ter me apaixonado mais por você. ter escolhido ir mais à casa dos seus amigos, bebido e socializado com eles. eu poderia ter ido à missa com a sua mãe aos domingos e ter ficado, depois, pro almoço, para aquele

textos cruéis demais para serem lidos rapidamente

prato sagrado que é a lasanha com Coca-Cola. eu poderia ter permitido que suas cuecas se confundissem com as minhas, até que nós dois perdêssemos o senso de qual é de quem, e acabássemos por usar uma a do outro. e isso aconteceria inevitavelmente também com as meias, até chegar o dia em que brigaríamos por um estar a imagem e semelhança do outro. seríamos exatamente como aqueles casais que passavam pela praia e a gente ria e dizia: *olha lá como são parecidos*, sem nos darmos conta de que já estávamos tão um o outro, tão parte da vida integral do outro que não existia a possibilidade de voltar atrás. e eu poderia ter permitido que meu amor por você crescesse mais. pensasse em ter filhos. planejasse o nome das crianças. três, não. duas. ou melhor: dois filhos. que meu amor pensasse na viagem do ano que vem: Espanha ou Maranhão? que tentasse encontrar os filmes e os livros que você tanto gosta nos sebos por aí. revisitasse as fotos, as primeiras, que tiramos no carnaval do ano passado, e que diziam tanto sobre o nosso amor. eu poderia ter deixado meu amor crescer como uma criança que, à procura de tudo e do mundo, vai se redescobrindo até se tornar autossuficiente. eu poderia ter ficado contigo por sabe-se lá quantos anos – dez? quinze? até que nos cansássemos o suficiente pra irmos embora um do outro sem tanta dor.

eu poderia ter deixado você ficar mais. poderia ter deixado você me ensinar a fazer uma omelete perfeita, com aquela virada 360, que nunca aprendi a fazer. eu estava quase. quase. nós estávamos quase tantas coisas. eu poderia ter visto você concluir o doutorado. teria chorado horrores, na frente de todos os seus parentes. teria sentido muito orgulho de você.

eu poderia, meu amor, ter ficado e aceitado tudo o que viria pra me pegar pelo pé. me tirar a respiração. pra depois não restar nada, porque ser amado por alguém é como sentar no trilho do trem e ficar esperando ele vir a mais de cem quilômetros por hora, sem freio, sem nada. porque ser amado, amar, construir o amor, deduzir o amor, arquitetar o amor, tudo isso é como fechar bem os olhos, abrir bem os braços, e se jogar num rio. a gente nunca sabe o tamanho do nosso fôlego até estar lá, tentando se salvar. a gente nunca sabe o tamanho da nossa força até chegar lá no fundo, no limite, e achá-la, escondidinha. a gente nunca sabe a profundidade dele, e se dessa vez voltaremos à tona pra recobrar o ar.

eu teria continuado com nós. com você. eu teria cantado na rua à meia-noite ao seu lado. teria alugado a lua só pra gente continuar se amando. teria falado de você pra todos os meus melhores amigos, até os que não eram, mas viriam a ser. eu teria chorado no nosso casamento, e depois na lua de mel, e pelo menos pelos próximos cinquenta anos, toda vez que lembrasse da escolha mais bonita e certeira que eu tinha feito em toda a minha vida. eu teria andado mais, mesmo que meus pés já não soubessem qual era o caminho.

mas eu não pude.

eu ainda tinha um coração pra fazer respirar.

o fim em doses homeopáticas

ventania

já vi furacões maiores que seus olhos
mas nenhum deles me consumiu
como você.

pela porta da frente

você não precisava ter ido embora num cavalo branco. bastava que me avisasse e desejasse coisas boas. assim seguiríamos em paz.

você não precisava ter ido e levado as ondas que me habitavam. bastava que me deixasse com todo esse mar e entrega que sempre me foram essenciais pra viver.

você não precisava ter furtado as minhas emoções na sua fuga desesperada pra se livrar de uma possível relação. poderia apenas ter aberto a porta de casa que eu entenderia o recado e teria saído do que estávamos construindo.

não precisava levar todos os tornados da sua cidade na sua fuga por qualquer coisa que não eu. era só me dizer que não estava dando mais certo e eu teria cerrado os olhos, pegado as malas e ido embora, sem culpas ou dores maiores.

textos cruéis demais para serem lidos rapidamente

você não precisava ter me levado contigo nessa fuga tarde
da noite. eu não precisava ter acordado com o barulho da
sua covardia pulando o portão.
teria sido menos violento sair pela porta da frente, como
pedem as relações em que nos jogamos de cabeça sem
nos resguardarmos da queda.

você não precisava ter deletado meu rosto da sua agenda.
bastava me endereçar um texto que curasse minha
inquietação em tentar entender o porquê.

não precisava demonstrar que seguiu a vida esquecendo
que eu fui parte da sua.
bastava ter me dito que nem tudo é sobre permanecer
– embora sua ida tenha sido mais decepção do que alívio.

não precisava ter agido como se eu fosse me machucar
menos pela sua partida repentina e sem aviso.
bastava dizer que seu coração cresceu pra outro lado que
não o meu.

eu juro, eu teria entendido
eu teria mais mar em mim
mais emoção
as portas de casa ainda estariam abertas
e eu ainda acreditaria no amor.

eu juro.

o fim em doses homeopáticas

a versão de você que inventei

sigo aqui esperando essa versão de você que inventei pra me sentir menos sozinho. sigo te inventando pra não sentir que errei ao escolher caminhar e compartilhar minha vida contigo. sigo te esperando naquele ponto de ônibus em que te conheci, pra agora sentir que a decisão de te escolher não foi tão equivocada assim. sigo esperando sinais seus de que você, afinal, é tudo isso que minha mente laboriosamente arquitetou, porque assim dói menos descobrir que tudo não passou de um engano.

você mentiu pra mim olhando nos meus olhos naquele domingo à tarde, quando te perguntei se teria coragem de me manter infeliz nessa relação por medo de me deixar ir embora. eu disse *me liberta. me liberta que eu não consigo fazer isso sozinho,* enquanto você, com lágrimas nos olhos, dizia que nunca me deixaria ficar aqui vendo você me destruir. eu queria não ter acreditado tanto em você. queria não ter empurrado com a barriga a decisão de te

textos cruéis demais para serem lidos rapidamente

deixar, ainda que te amasse muito. eu estiquei o elástico até o fim. estiquei-o sabendo que uma hora ou outra ele voltaria com toda a força na minha cara. eu sabia que, no final dessa batalha entre ir embora ou não, eu acabaria como sempre: sozinho, deitado, chorando como se o mundo fosse acabar.

mas ele nunca acaba, não é? o mundo gira, as pessoas vão, outras vêm e a gente segue, porque seguir faz parte da nossa condição humana. eu só sinto muito por ter ficado tanto tempo com questões que sufocavam minha vontade de voar. com você, eu pensava que amor era permanecer, não importasse como. com você, eu acreditava que amar era ficar até perder a vontade das coisas. mas o amor não funciona assim: amar é deixar o outro livre, é não permitir que ele perca suas digitais, é mostrar pro outro que ele ainda é um indivíduo que importa no mundo, uma pessoa que tem seus próprios ideais, sonhos e vontades.

eu perdi a vontade com você. de ir à praia. de ver meus amigos. de escrever e me colocar no papel. você tirou as cores dos meus dias, colocando somente as que achava pertinentes. e eu aceitei todo esse cinza por achar que não conseguiria viver sem você. mas a gente consegue. é assim que a vida mostra que somos efêmeros – e capazes de muito amor e sentimento.

fiquei esperando essa versão de você durante os meses que passamos juntos. uma versão que não me fizesse ficar preocupado na cama, pensando se você me amava o suficiente pra não me trocar por outra pessoa.

textos cruéis demais para serem lidos rapidamente

uma versão que não me deixasse tão inseguro sobre o que eu sentia. uma versão que não fosse tão desatenta às minhas crises de ansiedade. uma versão que fosse, no fim do dia, aquela que me perguntaria se estava tudo bem, se a vida estava me tratando com gentileza, e se o mundo estava leve nos meus ombros.

nunca houve essa versão. e eu falhei ao inventá-la pra ter mais tempo com você. pra fazer dar certo, não importasse quanta dor eu e você estivéssemos carregando.

o amor não compactua com essas versões que criamos para a realidade não ser tão dolorosa. e meu tempo de espera terminou.

o fim em doses homeopáticas

quando alguém que a gente ama atravessa a rua

e aí que ele não ligou.
você estava esperançoso de que ele te ligaria pra pedir
perdão ou pelo menos dizer que, tudo bem, dessa vez
vocês tentariam de novo. porque tentar ainda fazia parte
do dicionário da relação. porque tentar era o que de
melhor vocês faziam um pelo outro. não era o sexo, a
conversa, o companheirismo: era tentar e tentar, até a corda
não aguentar o peso de duas pessoas que se tornaram
desconhecidas e nunca mais voltariam a se conhecer.

acontece que ele não te ligou e você esperou a noite toda
aquela mensagem aparecer na tela do celular pra, quem
sabe, vocês reatarem alguma coisa que ficou pelo caminho. e tanta coisa fica pelo caminho. tanta palavra
que não saiu da garganta, tanto sentimento que pren-
deu no peito e nunca saiu de lá de dentro. tantas frases
que você formulou pra quando chegasse o momento do
fim. você ensaiou tantas vezes o que falaria pra ele, ima-

textos cruéis demais para serem lidos rapidamente

ginou qual seria sua reação ao perceber que dessa vez tinha acabado mesmo.

e aí que você ficou esperando as horas passarem e tudo que o universo te deu foi a ansiedade de perceber que esse relacionamento, depois de meses, acabaria assim: com um silêncio ensurdecedor. e você se deu conta de que mais um tinha terminado sem um ponto final. mais um tinha caído na caixa de spam que ninguém lê. mais uma relação tinha atravessado a rua, olhado pra trás e seguido em frente.

você esperou que se resolvessem, pra pelo menos saírem limpos um da vida do outro.
você esperou que conversassem, pra colocarem um fim e nunca mais. fim e *olha, não deu certo mesmo.* fim e *olha, gosto muito de você, mas segue seu rumo.*

e nem isso dessa vez. nenhuma mensagem de despedida, ligação final ou consideração.
nada que fizesse suas expectativas dormirem tranquilas pra acordarem enfim aniquiladas no dia seguinte. nada que fizesse sua ansiedade dormir descansada pra não voltar a aparecer. nada que te fizesse desacreditar que ir embora é, sim, o pior e mais lastimável movimento do mundo.

o fim em doses homeopáticas

quinta-feira cinza

vou voltar àquele ponto em que minha descrença
cresceu
porque você apareceu no meu caminho e me fez sentir
minúsculo: minúsculo pra mim e pro amor.
vou voltar àquele ponto e respirar fundo, pegar
novamente as minhas esperanças e trazê-las de volta pra
cá.

eu não deixaria de amar mais e melhor porque você foi
a experiência mais traumática do meu verão
        – do meu agosto, setembro, outubro –
você não merecia minha falta de fé em algo tão bom
nem sendo pra mim como uma mão que abre a ferida
em vez de estancá-la.

volto aqui neste ponto pra me recuperar
pra dizer a mim mesmo que nunca mais alguém como
você aparecerá e me tornará pele sensível

textos cruéis demais para serem lidos rapidamente

que a partir de hoje sou fera ferida, sim
mas sou também imparável e indestrutível.

há sempre dois caminhos quando se é repartido: ou
paramos no meio da estrada ou decidimos seguir.

vou voltar àquela conversa em que me senti usado
pra seguir e me permitir ser ainda mais coração.
não quero que nada que me lembre o fato de ser
passado pra trás me prenda à dor:
é por causa dela que a gente tem que seguir,
entende?

mesmo assim, eu não te agradeço
não dedico a você todos os meus textos
muito menos as sensações que entreguei ao mundo.

não te ergo altar algum por ter me mostrado quão
nocivas as pessoas podem se tornar.
não coloco teu nome na história por ter me permitido
enxergar que é na dor e no abandono que encontramos
forças
todas elas
pra seguir e continuar amando.

volto àquele ponto em que me vi sozinho
pra lembrar que nenhuma solidão me apavora
que, pelo contrário,
toda solitude é uma espécie de recomeço –

recomeço, então.

o fim em doses homeopáticas

Yebba

a diferença entre eu e os outros caras é que eu vou te
eternizar nas minhas pálpebras
nos papéis e nesses textos que todo mundo vai ler e se
identificar, porque caras como você aparecem toda hora.
e eu vou te estender e estender sua história pela cidade,
e ficarão sabendo sobre mim.

ninguém a não ser eu vai te eternizar
e colocar flores sobre a sua pele.
eles vão embora de você, mas em mim você continuará
na camada mais fina da pele.

e eu vou te costurar no universo de novo e de novo
até não me restar linha sobre a qual me esticar.

vou esvaziar o seu nome
imacular seus cheiros e suas manias no palco que criei
como ferramenta de sobrevivência.

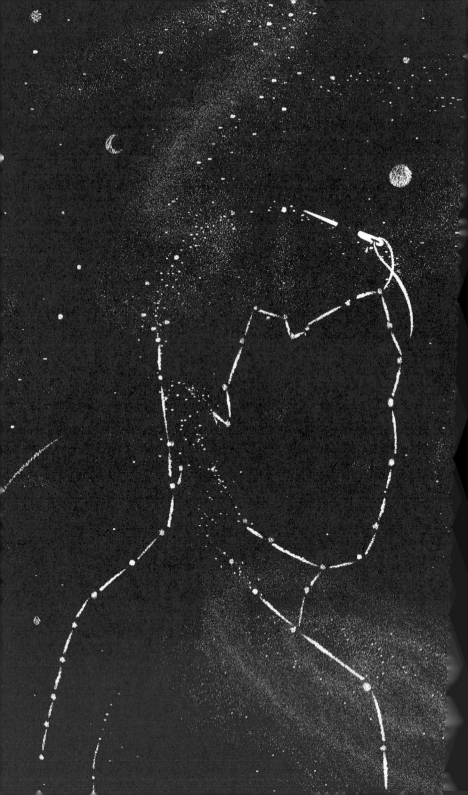

o fim em doses homeopáticas

a diferença entre a próxima boca que você beijar
amanhã e a minha
é que em mim você continuará por décadas a fio
e eu vou te engrandecer, mesmo sabendo que você é
pequeno, minúsculo, que não vale nenhuma palavra
bonita em cima do altar
mas farei isso por mim e pelos meus vícios.

eu escrevo você pra curar meus vícios
e é assim que entendo que nada é mais poderoso
do que esticar o nome de alguém na história e na
existência.

estou colocando seu nome na história
documentando a sua luz
tornando você imutável
te escrevendo no pra sempre
ainda que em mim, que em nós e em nossa história
já não exista nada, já não exista coisa alguma
da qual a gente possa se orgulhar.

o fim em doses homeopáticas

sem nome, mas com endereço

e de repente arrancar tudo o que vocês construíram: planos, sonhos, viagens do próximo ano, futuros shows e passeios e tudo. arrancar as conversas mais tocantes e os desejos mais marcantes e as falas mais sensíveis e o coração todo quando foi tocado de maneira tão suave que você chorou. e de repente arrancar pra fora do peito todas as noites em que vocês não fizeram só sexo, fizeram amor, fizeram uma coisa inominável, inteligível, impalatável. arrancar todas as vezes que ele foi pra você o único caminho pra uma paz maior. arrancar todas as vezes em que ele te olhou como ninguém tinha feito antes, porque ele sabia como tocar sua pele e suas feridas como nenhuma outra pessoa tinha feito até então. e arrancar, agora, pra fora do peito, tudo o que ele trouxe de bom, de sutil e de íntimo. arrancar a intimidade que vocês tanto tiveram, em quartos escuros e dias ensolarados na cidade do Rio de Janeiro. arrancar todos os dias em que foram aos restaurantes, aos bares, às festas, à casa dos amigos, ao

textos cruéis demais para serem lidos rapidamente

centro do universo. arrancar, com força e com dor, tudo o que entre vocês era só de vocês: as piadas, as cócegas pelo corpo tarde da noite, as discussões pouco antes de dormir. tentar arrancar pra fora do corpo pra ver se é possível continuar a vida com menos dor ou com a aceitável sensação de que ficou um buraco, porque buraco às vezes é melhor do que o peso irremediável de sentir tudo o que vocês tiveram e não têm mais. arrancar pra fora do corpo, do tecido, da pele, da estrutura mais complexa do organismo, da estrutura mais simplória do organismo, todas as vezes que ele te prometeu que mudaria. todas as vezes que ele te prometeu que faria diferente. todas as vezes que ele prometeu pra você que não escolheria o outro caminho, mais difícil e complicado. arrancar pra fora com toda a raiva e tristeza agora existentes todas as vezes em que ele te olhou nos olhos e falou: *eu vou parar.* arrancar pra fora do corpo até não restar nada, nenhuma lembrança que machuque, nenhuma faísca que espanque, nenhum sentimento que aperte o pescoço e te deixe sem ar. arrancar todos os lugares em que vocês foram juntos e construíram memória. arrancar, também, as fotos que ficaram perdidas no celular, nos aplicativos, em todas as redes sociais. arrancar todas as vezes que ele chegou do trabalho e te abraçou com ternura. tirar de si as digitais dele que te deram vida durante esses meses. e arrancar, como em último caso pra sarar, todos os pertences que ele te deu e que contêm tanto afeto. arrancar o momento em que um lavava a pele do outro, arrancar os filmes que viram juntos e as conversas pelo telefone, quando vocês reatavam aos prantos. arrancar, como quem arranca um curativo, todas as vezes que ele te subestimou e te colocou num lugar – menor que o dele, porque ele gostava que

o fim em doses homeopáticas

você se sentisse insuficiente. arrancar todo esse amor que agora deixou de ser amor pra virar alguma coisa que a gente não dá nome, pois dar nome significaria dar importância, e de importante aqui só restou você. arrancar a memória de vocês nos carros pela cidade, ele querendo bancar o-cara-que-sabia-o-caminho e arrancar a risada dele da sua mente, aquela maldita risada que agora é ainda mais forte e feliz. arrancar todas as festas, motivos de tantas discussões e do quase-fim tantas vezes, e arrancar as noites sem dormir, as noites em que se dormiu demais, os domingos preguiçosos em cima da cama, as séries que assistiram e não acharam tão boas assim, as que acharam boas demais, o caminhar pelas ruas do centro, todas as questões envolvidas em noites de quinta-feira e as desistências, a falta, a ausência.

e, quase como um ato de coragem, não arrancar pra fora do peito o que você foi com ele. o que você, verdadeiramente, foi com ele. todas as vezes que você foi sincero, leal e honesto. todas as vezes que acreditou em cada palavra que ele dizia, todas as vezes que você acreditou, porque acreditar era o ato e o verbo que mais combinavam com você, seu sobrenome. por fim, não arrancar o que foi seu nessa relação. a sua entrega tantas e tantas vezes. a sua devoção. a sua força em se manter sereno mediante os dias ruins e as brigas consecutivas e as expectativas que falharam e não voltam mais. por fim, não arrancar você pra fora do peito.
porque você ficou, sobreviveu e está aqui.

o fim em doses homeopáticas

os palcos que destruí

nenhum altar pra você. nadica de nada. nenhum texto romantizando suas ações. nenhuma flor envolta em um possível palco onde eu te colocaria depois de te ver correr pra longe. nada. nenhuma culpa também, me abraçando os olhos ou me requerendo sanidade. nenhum altar pra você. nenhuma prece a deus pra que outros viessem e te arrancassem de mim. desta vez, tenho força o suficiente pra te mover pra fora do meu corpo. minhas mãos são fortes como meu peito. nenhum palanque pro seu orgulho. nenhum altar pra sua desonestidade. nenhum texto exaltando sua beleza, porque beleza pra mim é quando alguém se despede sem alarde ou ferida. quando alguém vai embora sem pegar na sua garganta e te evitar o ar. porque beleza e sutileza andam de mãos dadas e tecem o ideal de ser humano. desta vez não crio ou mantenho nada. nenhum pensamento cotidiano de como ou por que você simplesmente foi. não teço nenhuma teoria. não estico sua pele na minha boca falando de você pros

o fim em doses homeopáticas

meus amigos. pra eles você não existe. nem pro divino. não conto de você pros meus inimigos. na minha boca você não dorme. nenhum altar. nenhuma vontade de reconciliação. de você não quero nada. de você só quero o tempo me ensinando sobre solitude e amor-próprio. não te superestimo. nem coloco sobre meus ombros todas as versões de você que me fariam menos infeliz. nenhum altar reverenciando o seu gostar por mim. nenhum altar agradecendo o seu afeto. nenhum altar dando a você o ar da graça. dando a você o meu ar. dando a você qualquer parte minha que eu teria que renunciar por amor.

o fim em doses homeopáticas

sobre estar viva

celebre todas as vezes
que sua respiração não foi embora

mesmo o amor já tendo ido.

o fim em doses homeopáticas

intenso

vou bater na porta da sua casa, sim

intensidade é meu segundo nome.

vou chorar por duas semanas seguidas
e comer todo o chocolate que evitei durante meses.

vou ensopar os lençóis com as minhas lágrimas
e tirar seu cheiro da minha cama aos tapas.

vou substituir teu nome por desenhos toscos.

meus amigos me levarão a espaços que eu pensava
que você não poderia estar
e estarei em todos os lugares onde sua presença não
chegou.

vou seguir minha vida abrindo meus braços e deixando

textos cruéis demais para serem lidos rapidamente

tudo sobre você ir embora
como as flores das estações passadas,
que caíram no chão e nunca mais voltaram.

eu juro

vou desmistificar seu nome e torná-lo banal
dizendo a todos que te esqueci e que agora,
a partir de hoje, o que existe
é uma memória tranquila, sem alarde algum.

vou até sua casa
te devolver tudo o que você deixou aqui e não veio
buscar.

vou devolver você pra você
e tudo o que até agora decidi guardar pra me fazer
companhia
e me deixar menos só.

o fim em doses homeopáticas

zero

não há nada mais doloroso pra alguém
que espera outra pessoa voltar
do que descobrir, silenciosamente, *que ela não vem.*

textos cruéis demais para serem lidos rapidamente

não há nada mais triste do que se dar conta
de que o caminho de volta só existe pro seu coração
de que ele criou esse caminho pra não morrer sozinho
dentro do corpo
pra que você não chorasse mais uma perda

pra que você,
desiludido,
não se afogasse em si mesmo.

o fim em doses homeopáticas

volte aqui quando precisar

isso não é uma corrida. descansa.

te escrevo no primeiro dia do ano porque sei que você sempre volta pra ler o que estava sentindo na época. e agora você se sente colocando o pé no mar bem gelado, como se não soubesse que entrar nele, depois de alguns minutos, valerá a pena.

você vai se assustar com o tamanho da dor no começo.

ela vai se esticar sobre seu corpo, agarrar seu pescoço tarde da noite, sacudir todas as suas esperanças no amor novamente, em *alguém* novamente, e fará você chorar infinitas vezes até não querer mais fazer qualquer coisa.

mas você vai passar pelos dias, e pelas noites, e pelas semanas sem ele, e pelos meses também.

textos cruéis demais para serem lidos rapidamente

e igualmente pelas datas comemorativas, pelas ocasiões inoportunas que farão vocês se esbarrarem pela cidade, por tudo que foi de vocês e já não é mais.

você vai ligar pras melhores amigas e contar que preferiu seguir sozinha, e que não era nem uma questão de estar tudo bem ou mal, só não era pra ser mesmo.

e aí, bem aos pouquinhos, molhando primeiramente o pulso, e logo depois o pescoço, vai se acostumar à água fria congelando a expectativa. vai se adaptar ao mar bravio e às dores de se perceber, outra vez, sem alguém. ou melhor: consigo própria.

eu te escrevo pra te aliviar, porque você sabe que daqui a uns meses lerá este texto e pensará: passei. meu deus, passei e *sobrevivi*. passei, enfrentei a adrenalina do mar gelado batendo no calcanhar e estou aqui, do outro lado da praia.

te escrevo porque sei que você deu o seu melhor, porque é isso que você sempre faz, pro bem ou pro mal. porque uma hora ou outra a gente acaba mergulhando de cabeça no oceano e nem dói tanto assim o peso de precisar ir embora, pular do barco, abrir mão.

você precisava, e eu te entendo agora.

então este texto é um lembrete: levanta da cadeira de praia, caminha esperançosamente até a orla do mar e olha bem pra ele.

vai doer, mas vai passar também.

e logo, logo, você começa a nadar novamente.

o fim em doses homeopáticas

rota natural das coisas

tome seu tempo.
suas feridas também precisam se esquecer
de quem são
pra poderem sair do seu corpo.

sempre achei que finais de relacionamentos fossem definitivos. que eles encerravam ciclos, colocavam pontos finais em histórias que até então pareciam ser pra sempre, extinguiam possibilidades de continuação. mas os fins me ensinaram que, na verdade, eles são começos de novas escolhas. eles são inícios de novas descobertas, de diferentes percepções e de outros caminhos que podemos optar por seguir. o fim te dá a opção de recomeçar, de novo, em outra pessoa, ou em si mesmo. o fim te concede a possibilidade de reescrever sua própria história, e é por isso que decidi reescrever a minha a partir do término. ressignificar os finais é compreender que existe uma vida inteira pra ser vivida, mesmo que a dor de algo ou alguém ainda more no coração.

este capítulo é um caminho pra você: reescreva suas novas versões. seus pés já estão ansiosos pra viver todas elas.

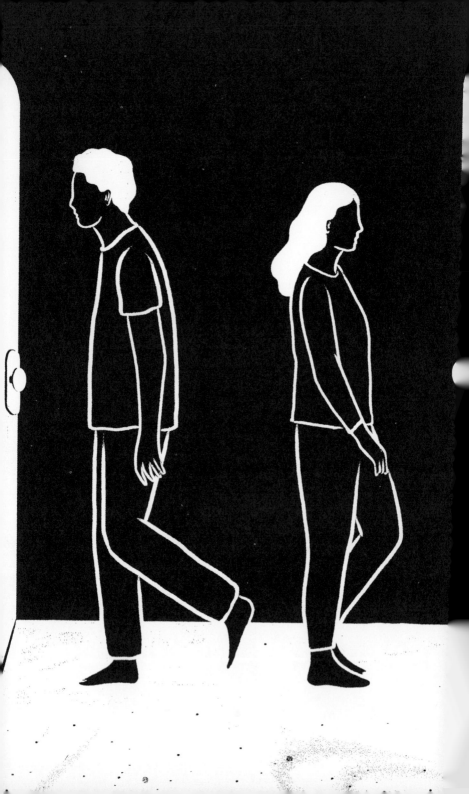

o fim depois do fim

o fim em doses homeopáticas

será

será que meu coração já entendeu que você não volta
mais? que você nunca mais vai bater na porta de casa às
seis da tarde quando o encontro era só às nove?

como eu conto a ele que você nunca mais vai deslizar
as mãos pelos meus cachos, como digo a ele que dessa
vez não teremos um olhar claro atravessando a gente?
que agora ele terá que aprender a sentir novas sensações,
com outras pessoas, que não você? ele ainda fica quente
e parece que meu corpo vai explodir. ele ainda é o ápice
da minha ansiedade esperando a sua volta. e eu choro
sempre porque não sei como controlá-lo, como fazê-
lo escapar da arritmia. eu não sei como controlar meu
próprio coração. qualquer sinal, qualquer luz ou energia
que me lembre você, ele BATE-BATE-BATE. quase sai pra
fora do corpo.

como digo a ele que esses sinais são brincadeiras do
universo, ocasiões isoladas? como convenço-o a parar de

textos cruéis demais para serem lidos rapidamente

bater toda vez que digo seu nome? como peço a ele pra desistir da ideia de alguém me acordando todos os dias e me colocando na parte confortável do mundo?

eu choro. eu sempre choro. não sei falar com meu próprio coração.

o fim em doses homeopáticas

e no final

já tínhamos ido embora um do outro há tanto tempo.
há tanto tempo nos debatíamos contra a rotina dos dias
pra ver quem pularia do barco primeiro. quem faria o
primeiro furo, menor, pra depois erguer a voz, maior, e
dizer: *estou indo.* quem faria o barco afundar e, falando
sobre a impossibilidade de salvá-lo, se jogaria no mar e
nadaria até a orla.

já tínhamos ido há tanto tempo um do outro. quando
o sexo já não estava lá essas coisas, mas mesmo assim
tentávamos ficar por mais tempo com os corpos colados
enquanto o ápice era o que unia o meu desejo e o seu.
a gente tentava pela manhã, depois que você chegava
do trabalho, às vezes em lugares nem tão convencionais
assim, mas era tudo tão estranho. o sexo servia pra
consertar nossa relação, pra fechar buracos, preencher
lacunas, pra fazer com que nossas brigas não se
demorassem tanto no espaço.

o fim em doses homeopáticas

já tínhamos ido há muito tempo, quando você parou de me ligar todos os dias pra me perguntar se eu dormiria na sua casa; quando, na dúvida se me ligaria, eu te ligava e você não só demorava pra atender ao telefone, como também dizia ter pressa, pois tinha outras coisas pra fazer. e tantas desculpas estavam à minha frente. tantas outras coisas pra fazer estavam no meio de nós. tantas-outras-coisas-pra-fazer eram mais fáceis, melhores e maiores do que eu.

já tínhamos ido há muito tempo. quando, depois do nosso primeiro término, eu passei três dias na cama, sem comer, e sem força pra fazer qualquer movimento. naquele momento, decidi que nunca mais deixaria você ou qualquer outra pessoa ter esse poder sobre mim. naquela quarta-feira de setembro eu decidi que nunca mais me daria ao luxo de chorar por alguém que me achava dramático. porque, depois daquele término, daquela noite em que peguei as malas e fui embora da sua casa, eu mudei. tinha decidido que, qualquer que fosse o problema, não teria mais eu tentando desesperadamente nos salvar. não haveria eu tentando recuperar nossa relação, muito menos tentando trazer à tona alguma coisa semelhante a perdão.

já tínhamos ido há muito tempo. quando a conexão que existia entre nós deu lugar a conversas espaçadas no meio da tarde e piadas em que apenas um dos dois se alegrava. e eu te dizia que estávamos chegando ao fim da corrida, que estávamos no fim um do outro, e você respondia que não, que as relações mudam mesmo e as pessoas deixam de dar as mãos. mas eu sabia que tínhamos não

textos cruéis demais para serem lidos rapidamente

só deixado um a mão do outro, como também o corpo, a mente, tudo. já tínhamos ido há muito tempo, quando conexão se transformou em sinônimo de petição. quando eu te pedia: *por favor, compartilha sua vida comigo. me deixa assisti-la enquanto fico aqui, em silêncio, apreciando você viver. me deixa aqui, quietinho, no meu canto, vendo você se tornar homem, ainda que sem mim.* quando eu te implorava: *olha, por favor, como eu gosto de você.* como quando eu te pedia pra me assistir também. pra me ver crescer, ganhar forma, textura e cor. e a gente, no meio disso, se perdia. é porque já não estávamos mais na mesma frequência. é que já tínhamos crescido pra lados opostos, com vistas diferentes e lugares em que almejávamos levar nossas vidas. já estávamos prevendo outros encontros, supondo falas, tecendo conversas em outros contextos, planejando o horário da fuga, o modo como aconteceria e qual seria o motivo.

já tínhamos ido muito antes do momento em que de fato aconteceu. e teria acontecido em outubro do ano passado ou em fevereiro deste ano. a gente teria se machucado mais e mais até amor se transformar em insatisfação, depois em tristeza, raiva e, por fim, em uma profunda mágoa. a gente teria cortado um ao outro com palavras impensadas, pra no dia seguinte pedir perdão, pra na próxima semana fazermos pior. e assim sucessivamente. teríamos maquiado nossa relação com idas a restaurantes no meio da semana pra espantar a crise; teríamos ido a festas aos finais de semana pra dizer que estávamos bem; teríamos feito um do outro um caminho pro nada enquanto a vida passaria pela gente sem dó nem piedade: estaríamos perdendo o melhor que ela tem pra nos oferecer – plenitude.

o fim em doses homeopáticas

ainda bem. ainda bem que eu furei o barco e pulei no mar. ainda bem que, vendo você pouco se desesperar com meu ato, nadei ainda mais rápido e tranquilo pra uma direção contrária à sua. eu te amava tanto, mas eu me amava tanto também. pra não deixar você me machucar, e eu te machucar, e a gente perder essa sensação de que um dia nos amamos. pra não perder esse sentimento que começou lá atrás, e resistiu às piores semanas e aos melhores meses, mas chegou aqui, nesta parte do caminho, e falhou. chegou aqui, onde tinha de chegar, pra agora virar memória ou história que a gente conta na mesa do bar ou pra desconhecidos na rua.

já tínhamos ido há muito tempo, meu bem, ainda que tenhamos demorado tanto pra perceber.

ainda que tenhamos demorado tempo demais tentando ser tudo um pro outro, menos amor.

o fim em doses homeopáticas

virada

sei que foi amor, mas os fogos anunciaram o ano-novo
e a única luz que não estava lá comigo era você.

sei que foi amor porque as pessoas celebravam mais um
ano
e eu era a única que desejava ficar no passado
esperando você pra me dar a mão e dizer
vamos juntos.

porque eu quis vir junto com você
pra este ano e pro resto da minha vida
mas você não estava lá

você não estava.

jogo limpo

eu conhecia aquela jogada. já tinha entrado no jogo de pedir desculpa por algo que eu tinha razão. eu conhecia o caminho pra onde você estava me levando, me fazendo sentir culpa por pedir um pouco a mais. por dizer: *não estou bem.* me fazendo sentir culpa por reivindicar meu espaço e minhas fronteiras. me fazendo pedir desculpa por dizer que não conseguiria seguir em uma relação com alguém que não enxergava meus traumas, minhas reações a eles e toda a bagagem emocional que eu carregava. eu cheguei muito machucado de outras relações. tinha passado a me fechar pra certas situações e a colocar um muro intransponível pra doer menos e não sentir tudo com o impacto de um trem desgovernado. eu tinha medo de voltar a me ferir por acreditar demais em alguém que – dizia você – seria diferente dos outros. não pro bem ou pro mal, mas com a capacidade de admitir os erros e ser humilde o suficiente pra chegar a consensos e acordos.

textos cruéis demais para serem lidos rapidamente

e assim eu fui ficando. a cada pedido de desculpa, a cada uma das inúmeras pisadas na bola, que aconteceram de diversas formas. coloquei meu amor e meu medo de ficar sozinho à frente da razão de te deixar. pensava: *dessa vez vai dar certo*, e eu queria tanto acreditar que daria. que você passaria a respeitar minhas fronteiras e começaríamos tudo novamente, lá do início, quando eu não me sentia sempre marginalizado em relação à pessoa que deveria me deixar confortável no mundo. pensei que daquela vez não sentiria aquela adrenalina tomando conta do meu sangue, me fazendo ver que, de novo, eu estava à mercê de alguém cujo sentimento não era pra mim. éramos dois países em guerra. dois lados diferentes de uma equação que já começou errada. éramos qualquer gota de chuva tentando não evaporar.

eu conhecia aquele jogo de ir mudando de pele porque as situações me pediam, ou porque precisava me provar capaz de lidar com os mais inesperados movimentos de alguém que eu amava. eu pensava que se terminasse contigo falharia comigo e com a ideia de que eu era uma boa pessoa pra se relacionar. imaginava que, se forçasse um pouco mais, se me deixasse transformar por causa de você, seria a pessoa legal que você merecia que eu fosse. e em tantas vezes fui silêncio. tantas foram as vezes em que deveria ter falado, colocado minha voz contra as suas vontades, erguido meus limites pra que você pudesse vê-los, pra que pudesse respeitá-los. eu me diminuí nas minhas próprias escolhas – erradas – de tentar não incomodar. de não entrar nos embates pra evitar o cansaço dos dias seguintes. eu não queria o desgaste, as noites sem sono, preocupado com o fim.

o fim em doses homeopáticas

não queria a ansiedade dançando pelo meu corpo porque eu reivindicava espaços que eram meus, espaços pra onde meus sentimentos podiam correr quando eu me sentia perdido.

eu fui tantas vezes amenidade porque achei que você merecia alguém que te compreenderia, já que o mundo é mau, e as pessoas merecem abrigo mais do que caos. por tanto tempo coloquei meu conforto e felicidade atrás das suas vontades e seus sentimentos. por tanto tempo permiti que, pra você estar bem e em paz, eu não estaria.

até o momento em que me faltou o ar. eu senti que estava saindo de mim pra tentar te salvar e o fôlego faltou. pesou finalmente me dar conta de que há vida depois de você, e os dias caminhariam pro seu fim cíclico, a terra continuaria rodando, o sol voltaria pra iluminar a cidade, outras pessoas apareceriam e me fariam esquecer o que precisei suportar pela visão distorcida que tinha de amor. pesou pra mim tentar fazer com que você fizesse escolhas saudáveis e que não acabassem com nosso relacionamento.

eu não podia te salvar porque é uma missão predestinada ao fracasso, livrar alguém de um caminho que ela propositalmente escolheu. a gente não tem o poder de decidir pelo outro, mesmo que exista amor, preocupação e a sensação de que o fim vai, inevitavelmente, ser a única opção.

pra nós, foi.

fim do jogo.

o fim em doses homeopáticas

em algum lugar bem longe daqui

pra onde vão todas as memórias que compartilhamos?
em que lugar elas se despejam,
pra virarem pó ou pra virarem nada?

pra onde vão todos os pensamentos que construímos?
os beijos, as falas, os olhares um dentro do outro
o sexo alimentando o desejo
e transformando-se em ainda mais amor?

pra onde vão as vezes em que
nos perdoamos?
pra onde vão as reconciliações
e os dias amenos, onde eu e você
tínhamos o gosto do perdão sobre nossa pele?

qual é esse lugar que recebe tudo aquilo
que vai embora quando algo acaba?

textos cruéis demais para serem lidos rapidamente

que lugar é esse que abraça todas as palavras
que dissemos um ao outro enquanto
estávamos apaixonados?

que lugar é esse que fica responsável
por armazenar todas as frustrações
de um amor que não existe mais
e agora é só saudade?

o que acontece com os sentimentos
que vão embora – pra onde eles vão?
com quem conversam? em quem se sustentam?

o que acontece com todos os universos
que criamos quando estamos com alguém?
como não escapam da outra esfera?
como permanecem intactos, esperando
o momento de colidir ou acabar?

como se desconstroem pra virarem estrela
céu ou texto?
como fazemos pra recuperá-los?

e se amarmos de novo
será que conseguimos segurá-los na pele?

que lugar é esse onde ficam
todos os amores que não deram certo,
das pessoas que deram errado demais
das relações que deram muito certo até certo ponto
das vidas que se encontraram
e depois
nunca mais?

o fim em doses homeopáticas

campus praia vermelha

fiquei te procurando na faculdade dia desses, o cérebro
tentando apreender qualquer sinal: vultos, olhares,
pessoas que passavam por mim. fiquei com medo de
esbarrar no seu corpo de quase um metro e noventa.
seria demais te acertar com minhas descobertas recentes
de que gosto de você. meu deus, como eu gosto de você.
aquele prédio de Contábeis nunca mais foi o mesmo
depois que te vi e nos recusamos a parar, como pessoas
que já foram muito próximas mas falharam no ato de
permanecerem juntas. eu sabia que nunca mais teríamos
algo próximo à conexão que criamos quando você
veio aqui em casa e me viu. e quando eu digo ver, digo
realmente ver: corpo, alma, feridas, cabelo desgrenhado
pela manhã, minha mania de dormir com a língua entre
os dentes, minhas falas engraçadas noite adentro.

eu escolhi você entre tantos outros pra compartilhar
comigo as horas mais inesquecíveis que passassem pela

textos cruéis demais para serem lidos rapidamente

minha pele. e agora aquele prédio de Contábeis. onde te vi e passamos como quase desconhecidos na semana passada.

tem um sentimento estranho que me habita, porque a sensação que tenho é a de que eu sumi pra você. da sua mente, do seu cérebro, das sinapses que se complementam e te formam. aquele prédio da faculdade agora me soca com toda a força, como se não tivesse sido o cenário de muitos dos nossos encontros, de muitas das nossas tentativas de relação. vou ter de encará-lo todos os dias, como se o ambiente não me trouxesse uma espécie de desilusão.

é que foi tudo tão bom. e eu não sei como te liberar de mim. eu nunca soube como libertar as pessoas que compartilharam comigo as noites, falas íntimas, momentos únicos. e é por eles que eu caminho pelo campus, tentando não esbarrar com você.

e se te vejo, dou logo conta de sorrir. estico o sorriso, ergo a cabeça, quero que me veja bem. não quero que pense que tudo em que tenho pensado é você. no seu jeito de moleque que não amou ninguém ainda. essa tua inocência aflorada através da fala: lembro de você brincando com os sons das palavras. não sei exatamente quando me apaixonei por você, mas arriscaria dizer que aquele momento concorre fortemente ao título.

se te vejo, passo como se nunca tivesse te visto em sua mais completa fragilidade. passo como se nunca tivesse te visto despido, entregue à minha vontade de você.

o fim em doses homeopáticas

passo como se nosso desejo tivesse esfarelado e virado
isso mesmo: nada. um nada que acontece às três da tarde
no campus da faculdade. ter que olhar pra sua cara. ter
que fazer silêncio ao olhá-la. ter que pedir ao coração:
desacelera, desacelera, pra que o impacto de ainda te ver
não me corroa. mas sempre corrói. corrói porque não te
esqueço, porque a memória que tenho é ainda daquela
vez em que estávamos no sofá e você me fez cócegas até
perder o ar. corrói porque fiquei vazio pelo resto daquele
mês sem te ver, sem ter notícias suas. corrói porque, no
fim de tudo, não sei se quero te esquecer.

o que sei é que passamos um ao lado do outro. como
estranhos. como pessoas que se esbarram no metrô e
nunca mais voltam atrás, quando gostar de alguém é fazê-
la esbarrar em você várias e várias vezes. só sei que desde
então não nos esbarramos. o outro lado do prédio parece
mais justo agora. parece mais justo cada um na sua, cada
um no seu quadrado, sozinho. quem sabe infeliz, quem
sabe desiludido, mas sozinho.

você lá e eu aqui, com o coração acelerado, porque te ver
é fazer tudo ganhar ainda mais espaço dentro de mim,
e só o universo sabe como é solitário construir lugares
onde ninguém quer morar.

o fim em doses homeopáticas

enquanto o mundo explode lá fora

é como se o mundo lá fora
não pudesse me encantar com sua dança

como se tudo que explodisse lá
estivesse mudo pros meus ouvidos

como se eu não estivesse apto o
suficiente a colocar minhas pequenas
mãos no centro do universo
com suas pessoas
seus carros
seus sonhos amordaçados.

sei que chove do outro lado da
minha janela
do outro lado da barreira que criei
com meu gênio forte e coração imparável

textos cruéis demais para serem lidos rapidamente

sei que as flores desta primavera
estão crescendo mais fortes e espertas
que as do ano passado

que grandes amores estão sendo colocados
à parte, em páginas de diários que nunca serão lidos

que desconhecidos estão começando a se gostar,
pra então adentrarem a dimensão da intimidade

e que eu teria tudo pra sair daqui
deste estado
deste quarto escuro que formei
cresci
e onde me escondo

que meus ouvidos poderiam ouvir
novamente qualquer resquício da
vida queimando e explodindo

mas ela ainda está aqui
e não vai embora.

– *depressão.*

o fim em doses homeopáticas

pra ler às segundas-feiras

é você que, no final do dia, sozinho, aprende a
resgatar aquela perna perdida no meio do caminho.

ninguém te ensinou a cura, mas mesmo assim,
você levantou os braços, o corpo, a voz
e disse: *tudo bem, dessa vez eu consigo*

e conseguiu.

ninguém te ensinou que você deveria se levantar a cada
tropeço
e fazer do seu renascimento uma festa.
que deveria fazer da sua luta
um motivo pra querer seu nome escrito na história da
eternidade.

ninguém te ensinou a respirar pausadamente depois que
alguém te atravessa o peito e não volta mais

textos cruéis demais para serem lidos rapidamente

e mesmo assim você decidiu que era sensato
sentar no chão, chorar e chorar
até que seus pulmões entendessem
que aquele vício já não te habitaria mais: ele teria ido e
levado todas as partes ruins que te doíam.

ninguém te ensinou a remendar seu coração.
no entanto, você costurou a palavra SERENIDADE
de ponta a ponta do seu corpo pra que ele pudesse
entender que não se tratava de outra pessoa te
abandonando
mas sim de outra pessoa deixando de conhecer a pessoa
iluminada que você é.

que não se trata, nunca, da sua entrega tão grande,
imediata e violenta
– que quase sempre se trata do outro fechando os olhos
dentro de um museu repleto de obras de arte.

e você é uma
meu deus, você é.

ninguém te ensinou que você deveria passar as mãos
com calma sobre seu próprio coração machucado
e no entanto você está aí
bonito
grande
realizado
e completo na sua própria dor
que é sua, que nasce e termina em você
e que saberá a hora exata de partir
e que não levará de você nada que você não queira.

o fim em doses homeopáticas

eu sei
que nunca te ensinaram a se curar de algo ou alguém
que nunca te disseram como seguir e se ainda há tempo
pra outras pessoas, coisas e relações.

eu sei que nunca te afirmaram que é possível amar
novamente
e, dessa vez, com a paciência de quem costura no centro
do universo uma nova possibilidade de paz.

eu sei que nunca te ensinaram como permanecer
e fazer da sua entrega um campo de lírios
não um campo minado

nunca te disseram que é na espera que os céus se
formam, as flores dão à luz outras
que a terra se alimenta e renasce
os oceanos têm seus momentos introspectivos
e que, por vezes, conversam com a luz sobre novas
formas de continuar

continuar seu destino
continuar sua função.

eu sei que nunca te disseram como confiar novamente.
no entanto, você segue tentando, diariamente, não se
precipitar: você continua sendo inteiro
porque aprendeu que a vida e os amores são sobre
plenitude.

você nunca aprendeu como ficam
as pessoas machucadas pelo amor.

textos cruéis demais para serem lidos rapidamente

no entanto está aqui, levando a palavra HONESTIDADE
nas costas,
sendo tão cheio por ela
tão contemplado por essa paz que fica
em quem abraça a verdade
sendo tão revestido de amor
que, um dia, tudo fará sentido.

ainda que hoje você ache que não.

rastros

quando sai de uma relação, você é a pessoa que apaga ou acende a luz?

o fim em doses homeopáticas

fera ferida

era meu orgulho que estava ferido
não eu, propriamente falando.
era ele batendo a porta,
segurando o choro,
espreguiçando o soluço e a vontade de sumir
nos braços do mundo.

não era minha tristeza em ficar sozinho,
mas sim minhas certezas sendo desmontadas,
colocadas pra escanteio
desintegradas por tudo que você deixou de me dar.

era meu orgulho se despedaçando
e tudo que eu havia construído ao seu redor
– os planos, as falas, as intenções.
e era seu silêncio vestindo meus bolsos,
enchendo meu corpo de mentiras
socando minha entrega brusca a você.

textos cruéis demais para serem lidos rapidamente

tudo me doía quando eu pensava no que
havíamos deixado de ser
e em tudo que fomos antes
quando meu orgulho ainda tinha você
como rei da minha cidade.

que erro
que erro pensar que você era o único que podia me
forrar com paz e esperança
e me transformar em alguém melhor.

tudo me doía ao pensar que você seria
a única pessoa capaz de me olhar com paciência –
mas aí veio a vida e me assoprou nos ouvidos que
outros viriam
sempre vêm
pra dar outro tom à vida
enchê-la de graça
torná-la confortável de novo
nem que esse alguém seja você mesmo, no final das
contas.

e no fim, quando já não tinha mais orgulho
quando ele finalmente tinha virado pó
junto com você
eu entendi, eu entendi: meu coração
havia escutado errado:
ele tinha deixado que você
fosse pra ele como ar.

...e que tristeza é deixarmos que nosso caminho
seja tomado pela respiração de outra pessoa.

o fim em doses homeopáticas

me despeço de você

abro ainda mais os braços
os que você feriu com seu orgulho gigante e seu ego
desafiador.

abro-os ainda mais pra outra pessoa
quem quer que seja.

deixo o corpo ainda mais à mostra
o mesmo onde você depositou seu prazer e depois fugiu
o mesmo corpo permanece aqui
agora limpo de você.

deixo meu coração ainda mais latente
por qualquer faísca que me faça queimar.
o mesmo coração que você embalou com promessas
afobadas e crenças infantis
o mesmo que, nas suas mãos, se transformou em um
órgão oco e sem metáfora alguma

textos cruéis demais para serem lidos rapidamente

permito que ele lateje agora e sempre.

hoje amanhã e depois de amanhã
tudo em mim é novo
é fácil e é livre.

tudo o que você fez em mim
e fez errado
foi embora

como você.

o fim em doses homeopáticas

o tempo não espera ninguém

ainda dá tempo de se arrepender? de dizer *olha, eu sinto muito, deixa eu voltar pra você*? ainda dá tempo de você me receber na sua vida com todos aqueles planos malucos de morar no Peru ou quem sabe Índia ou quem sabe os dois? dá tempo de você chegar todos os dias, cansado do trabalho, e me encontrar, feliz e sorrindo à sua espera?

sim, à sua espera. porque a sua presença ocupa todos os espaços e lugares do meu corpo e da minha casa e do meu trajeto até a faculdade, e em todos os meus pensamentos existe você, seu cheiro doce e sua risada gigante.

ainda dá tempo de se arrepender? porque eu queria voltar pra sua casa e dizer que não tive intenção alguma de te machucar, de te desestabilizar com meu medo infantil e minhas inseguranças violentas.

eu só queria voltar pra aquele dia em que eu te perguntei se você gostava de mim e você disse *é mais do que gostar,*

textos cruéis demais para serem lidos rapidamente

é algo que ainda não decifrei.

ainda dá tempo de dizer que eu também sinto tudo isso? que tudo não passou de um medo absurdo de também ser machucado, colocado pra escanteio, ferido de alguma forma?

eu fui embora não porque não gostava de você, da sua presença, da sua voz macia acalentando meu caos. eu fui porque, se eu ficasse, teria que admitir que, pela primeira vez em anos, tinha finalmente encontrado alguém.

e você sabe como é difícil carregar o peso *de finalmente encontrar alguém?*

alguém assim, que não te cobra, não arranca sua pele pra fora, não permite que o mundo te soque cotidianamente.

você era assim pra mim, e só deus sabe como foi difícil dizer não, como foi difícil negar que o amor tinha finalmente me contemplado – logo eu, que sempre estive no meio do caminho... esperando e esperando.

e quando você veio, e era tão incrível, eu corri. eu estou sempre correndo. *meu deus, que idiota que eu fui e continuo sendo.* ainda dá tempo de voltar e de tentar de novo, agora de coração livre e com todos os sentimentos em seus devidos lugares?

ainda dá tempo de pedir pra você voltar aqui em casa com seu sorriso do tamanho do mundo e sua disposição que desarmava minha barreira – essa mesma que criei pra

textos cruéis demais para serem lidos rapidamente

que ninguém me enxergasse além do usual? essa mesma que você quebrou e transformou no prédio mais lindo que alguém já deixou por aqui?

não dá, né? nunca dá.

o fim em doses homeopáticas

manual de como esquecer alguém

a gente combina de se esquecer bem devagar
que é pra não doer tanto assim.

primeiro, no *sábado*. você terá muita coisa pra fazer: vai
pensar na academia que precisa ir pela manhã, na casa que
tem que limpar durante a tarde e nos amigos que vai ver
à noite. no bar, meu nome não será motivo de perderem
tempo falando sobre como foi difícil a separação. sua
mente não vai puxar meu nome pelo braço e trazê-lo à
tona pra que seus amigos comecem o discurso de que
ambos mereciam alguém melhor e mais compatível.

depois, no *domingo*. uma vez que teremos ido a alguma
festa na noite anterior, chegaremos cansados em casa,
pela manhã, e dormiremos o dia todo, acordando quase
quatro da tarde. as mensagens dos amigos no celular vão
nos distrair de ter que pensar um no outro, e logo em
seguida daremos conta de preparar o almoço, veremos

textos cruéis demais para serem lidos rapidamente

algo na televisão, nos ocuparemos lendo e procurando artigos na internet. eu não vou pensar em você no domingo como promessa de que preciso aproveitar meu dia da melhor maneira possível: sairei pra andar de bicicleta pela orla da praia, e espero que faça o mesmo.

a gente combina de se esquecer bem devagar
que é pra não doer tanto assim.

tendo ficado dois dias sem pensar fixamente um no outro e em como dói se separar de alguém que se ama, começaremos, então, a nos esquecer na *segunda-feira*. aí será mais difícil, à medida que segundas existem pra nos dizer que erramos com o mundo e conosco. que há muito trabalho a fazer e é o início de todos os pensamentos dolorosos, planos que precisam ser cumpridos, metas que devem ser entregues. e acho que é o único dia em que está tudo bem pensar um pouco no que tivemos. a ressaca moral estará na nossa pele, e a culpa de estar seguindo em frente também. segundas-feiras existem pra nos dizer que estamos, enfim, caminhando e deixando pra trás o lugar de dor, angústia e sofrimento. sei que será difícil pra você não lembrar de mim na segunda, mas sei que o trabalho vai te consumir a tal nível que não terá outra opção a não ser pensar nas planilhas que terá que fazer, no transporte lotado que pegará até a faculdade. por fim, o cansaço te consumirá e, na sua cabeça, não terá espaço pra mim. as segundas-feiras vão te lembrar que é duro ter de trabalhar quando o coração quer ficar em casa. mas também te farão entender que é levando ele pra outros lugares que a gente se cura de alguém.

depois, tentaremos nos esquecer às *terças*. você, depois do trabalho, sairá com os amigos pra um *happy hour* e, embora eu apareça vez ou outra nos seus pensamentos, vai se concentrar no papo sobre o quanto tem trabalhado e como a insônia tem afetado seu sono. você vai começar novas séries, buscar algum outro filme pra assistir – nada que tenhamos feito juntos –, vai cozinhar. mesmo na cozinha, que era um dos nossos momentos favoritos, vai se ater a preparar novas receitas de bolo de chocolate, acompanhando vídeos pelo celular. você, às terças, criará o hábito de se distrair de mim e de nós priorizando o seu bem-estar. daqui, do meu lado, farei o mesmo.

quarta-feira, que já é o começo do fim da semana, te mostrará que é possível viver sem mim, e eu, sem você. o lampejo de recomeçar o ciclo de me esquecer, a ansiedade em chegar ao sábado e perceber que mais uma semana foi embora, e com ela as memórias e tudo que latejava a pele, é o que te dará forças pra enfrentá-la. estaremos há quatro dias tentando nos esquecer com novos movimentos e outras percepções sobre o mundo, e então, pra além do trabalho, você irá a uma exposição no centro da cidade com um amigo. falará de mim, agora sem nenhuma mágoa ou ressentimento e, finalmente, eu terei ido. já em casa, sozinho, você se pegará pensando que foi melhor assim, e que o coração, em breve, voltará a sorrir.

quinta, como em um último suspiro antes de cruzar a linha de chegada, chorará muito. será uma manhã difícil, chuvosa, onde São Paulo decidiu protestar contra o acúmulo de prédios, de carro e de lixo. a chuva te deixará

textos cruéis demais para serem lidos rapidamente

reminiscente de nós, e a saudade apertará seu peito como não havia feito antes. é a realidade aparecendo pra você, enfim. é a vida te mostrando que não é fácil esquecer alguém que se amou muito. você vai trabalhar neste dia. fará planilhas. participará de reuniões. pegará ônibus, metrô, caminhará pela Avenida Paulista, chorará até ser consolado por uma desconhecida: se dará conta de que o ciclo começará novamente, no dia seguinte. que o dia seguinte trará a lembrança de um fim recente, mas que também será porta pra outra contagem. vai pensar: *devagarzinho. devagarzinho eu vou esquecendo. até não restar memória alguma que me consuma, até não restar memória alguma que me faça querer contar os dias como se fossem barreiras que eu precisasse ultrapassar.*

e enfim *sexta*. que pra mim será sempre o pior dia pra te esquecer porque lembrarei que, por pouco, demos certo. que, por pouco, teríamos conseguido ser felizes. que, por pouco, teríamos alcançado um o coração do outro. a sexta-feira, pra mim, será um dia horrível. acordarei mais cedo, prepararei o café, tentarei não pensar em você, e a caminho do escritório vou lembrar de tudo que éramos, do que pretendíamos ser. vou lembrar que ali, logo no próximo dia, foi onde começamos o início de um longo caminho de esquecimento. vou me pegar pensando: *será mesmo que a gente esquece alguém? será mesmo que conseguimos?* e a resposta, que se existe, não virá pra mim. o eco, o vazio e a ausência de acordar e não ter você ali do lado será maior do que foi em todos os outros dias, mas, firme, conseguirei seguir a vida como se você já não fosse meu destino final.

o fim em doses homeopáticas

a gente combina de se esquecer bem devagar
pra não doer tanto assim.

o fim em doses homeopáticas

estação nova américa

fui embora porque tive medo.
não era nada contra a sua luz.
você foi o céu azulado do Rio de Janeiro entrando pela
janela do meu quarto e abraçando meus olhos.
só que outras pessoas já tinham ferido minha
capacidade de entrega.

eu gostava de você. seu sorriso me abria espaços na lua.
me levava facilmente à marte.
seu toque acalmava as fronteiras que em mim gritavam
e ninguém nunca tinha me feito tão pacífico.

com você, minha sensibilidade ficava quente
e dançava pela sala quando você batia a porta do quarto.
ela rodopiava com uma perna só, certa de que tinha,
finalmente, encontrado alguém que não fugiria.

mas eu fugi.

textos cruéis demais para serem lidos rapidamente

e este texto é um pedido de desculpas.

posso ter perdido a única pessoa que me viu limpo.
e mais: que limpou minha visão de mim sobre mim
mesmo.
você não se importava com meu cabelo desgrenhado
pela manhã, nem com minha mania de silêncio.
me olhava nos olhos e não dizia nada, e eu respeitava
isso. você também.
você me permitia te olhar e ser visto
eu me permitia ser olhado e ser visto.

só que o medo e o trauma subiam pelas minhas costas e
me negavam qualquer coisa.

de repente, no dia em que não consegui me enxergar
capaz de ser amado como estava sendo, simplesmente
fugi.

e eu queria te contar, aqui, como um desabafo, que
ainda me pego chorando pelo que poderia ter sido se
eu tivesse ficado. você provavelmente teria me levado
ao centro da palavra intimidade. e eu teria deitado no
seu coração, confundindo-o com um travesseiro. me
vestiria de todas as qualidades boas que você é. levaria
a paz que você tem pra todas as esquinas do universo.
teria conhecido suas lágrimas, conversado com elas.

só que aí o medo e o trauma
e toda a violência que sofri.
aí que, quando você veio e me mostrou que amar
não é peso, mas calmaria,
eu estremeci.

o fim em doses homeopáticas

não estava acostumado a sentir afeto
e o seu me tirou do lugar
me colocou numa zona de insegurança
num caminho que fui pra não voltar.

me perdoa, me perdoa

você pode ter sido a pessoa que eu queria encontrar
a pessoa que sempre estive à espera
com olhos e coração vidrados

eu só te encontrei no momento errado.
no momento em que a ferida
tinha mais espaço na minha pele
do que a coragem

no momento em que meus medos
falavam mais alto do que minha vontade de amar
e ser amado

no momento em que eu era um caos ambulante
e você toda a paz da humanidade.

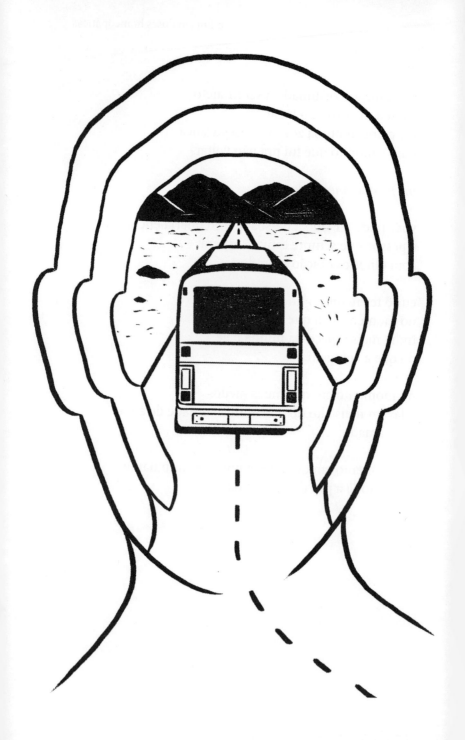

o fim em doses homeopáticas

rodoviária

não foi fácil abrir mão de você.
abrir mão, pulso, pele
e coração

abrir minha memória e deixar você escapar.
quem sabe encontrar outras pessoas por aí.

tudo bem.
de você nunca senti ciúme.
nada que fosse posse ou obsessão.

não foi fácil ir embora de você
respirar fundo, contar até dez e de repente correr.
excluir das redes sociais. bloquear da lista de contatos.
bloquear dos passeios com os amigos. bloquear
das festas à noite. bloquear dos finais de semana na
praia. bloquear dos planos e do futuro que estávamos
construindo.

textos cruéis demais para serem lidos rapidamente

não foi fácil sair de você
pegar o primeiro ônibus sem olhar pra trás
e depois do ônibus um trem, e depois do trem
entrar por uma rua
pra que você não me achasse mais.

não foi fácil ir embora de você,
quando tudo o que eu sentia era vontade de ficar.

mas a gente precisa ir embora, às vezes,
pra não doer *tanto*. pra não ficar pesado.
pro coração voltar a ficar leve e quente.

pra gente conseguir olhar pra nós mesmos com
admiração. pra nos doarmos carinho.

você me roubou a capacidade de perceber que eu era
humana. me roubou a capacidade de perceber que eu
era suficiente, e que em mim havia sentimentos bons.

que, apesar de tudo, eu continuava sendo uma boa
pessoa.

eu corri de você. corri sem olhar pra trás.
corri como quem está atrasado pra pegar aquele último
ônibus na rodoviária.

corri como quem precisa se salvar de algo ou alguém.

e como se diz pro coração que eu precisava me salvar
de quem eu mais amava?

o fim em doses homeopáticas

abri mão de você porque precisava me colocar nas
minhas próprias mãos.
eu precisava cuidar de mim.
me dar carinho.
entregar afeto e compreensão a mim mesma.

fui embora porque tinha muito amor aqui dentro.
muito amor pela pessoa que eu construí e não deixaria
ser quebrada por alguém que só estava de passagem.

porque a única pessoa que viu todas as minhas falhas
e ajudou nas minhas reconstruções
– que viu meus prédios caírem
e meu coração quase parar –
e mesmo assim permaneceu
fui eu.

não foi fácil reaprender a andar
por caminhos diferentes e por diversas vezes
errar a porta de casa, me encontrar num beco escuro,
ser enganada pelo breu da noite. não foi fácil reaprender
a caminhar com passos lentos e pés doídos, porque eu já
tinha sido privada há tanto tempo de tentar – por mim
mesma.

não foi fácil ir embora e recuperar
a concentração necessária pra voltar a viver. rever
os caminhos por onde eu andava antes e, o melhor,
reconhecê-los.

eu abri mão de você porque eu precisava de mim.
daquele momento em que você respira fundo e nada de

textos cruéis demais para serem lidos rapidamente

desolado vem à mente. quando tem paz no caminhar
e ao fazer escolhas. quando não existe nenhuma
preocupação do outro lado da cama.

quando a única tática de sobrevivência necessária
é continuar por si próprio. sem pesos. sem fardos.
sem ombros cansados.

eu abri mão de você
porque precisava me colocar no colo.
porque colo é um carinho
que você precisa receber de si mesma.

o fim em doses homeopáticas

all too well

como eu deveria me sentir
sabendo que você veio aqui na minha casa e colocou os
pés no meu tapete e bebeu a água que eu coloquei no
copo e viu o sol da janela do meu quarto e dormiu na
cama onde meu corpo descansa todos os dias e sentiu
os lençóis que abraçam minha existência por anos?

como eu deveria me sentir
agora que você impregnou tudo com seu DNA
e a casa tem seu cheiro e o tamanho das suas costas,
do seu sorriso, da sua luz?

diz pra mim como eu faço pra te esquecer
e te arrancar aos tapas daqui
de onde você veio e existiu?

você existiu no meu quarto
na sala, nas músicas que colocou pra que pudéssemos

textos cruéis demais para serem lidos rapidamente

nos sentir mais à vontade
e agora na faculdade não tem nada:
eu te vejo, dou risada
você também sorri
e seguimos, sem nada?

sem nada.

como eu deveria me sentir
se você me viu
fragilizado pela ideia de gostar de alguém?
se eu gostava tanto de você que seria capaz
de correr a pé até a sua casa
e depois de correr, ainda teria fôlego pra
fazer amor
como eu deveria me sentir se na minha cabeça
eu imagino amor
e você não imagina nada

se na sua cabeça já tem outra pessoa
e se na minha você *é* essa pessoa
a mesma pessoa
todos os dias.

como devo me sentir
se você olhou dentro do meu olho num dia
e noutro passou como se a gente não
tivesse criado uma conexão
tomado café da manhã
e falado sobre o que nos move
vestido um a pele do outro?

o fim em doses homeopáticas

como devo me sentir se semana passada eu ainda
pensava que poderíamos ter qualquer coisa
e hoje você seguiu sua vida, me tirando dela?

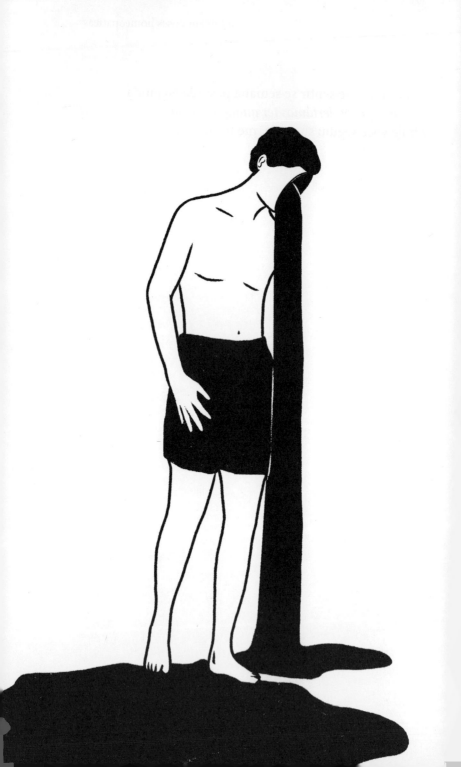

o fim em doses homeopáticas

ônibus 433

está tudo bem se você quiser passar a próxima semana comendo chocolate e vendo TV, chorando até não restar reservatório de lágrimas pra gastar. tudo bem se você quiser deletar todas as mensagens e bloquear e chamar as melhores amigas pra te ajudar nesse momento tão difícil, nesse momento que mais parece um soco na cara, um choque de realidade que a vida te dá pra você perceber que cresceu – e que crescer também é terminar relações em que você acreditava muito.

e a gente chora porque acreditava. acreditávamos que duraria pra sempre, ou que pelo menos duraria mais dois carnavais. você até ensaiava: *no próximo carnaval, estarei com a pessoa que eu amo,* e isso é excitante, é o que faz do ser humano essa criatura complexa e cheia de sensações. o que nos torna humanos é justamente essa capacidade de sonhar e de colocar o outro, a pessoa que a gente ama, pra sonhar junto.

textos cruéis demais para serem lidos rapidamente

você chora porque acreditou nessa relação com tanta fé, com tanta vontade, com tanto afinco, que agora, depois que ela acabou, você se pergunta se terá fé novamente pra outras fases e ciclos da vida.

você chora porque alguma coisa entre a crença no amor e a fé na humanidade se quebrou. o sentimento entre acreditar na pessoa que dizia te amar e odiar o fato de ter se apegado demais se perdeu pelo caminho, e é quase impossível recuperar. você sente falta da rotina, do dia a dia, do *tête-à-tête*, da adrenalina de ir aos lugares e saber que neles você tinha uma companhia incondicional, uma pessoa pra te ver, alguém com quem compartilhar as risadas e o pânico de ambientes muito cheios.

você chora porque, nos próximos dias, seu corpo vai acordar no meio da noite procurando o corpo dele ao seu lado e não vai encontrar nada. você vai acordar assustada, procurando o celular pra ver se alguma mensagem de reconciliação aparecerá na tela. porque os dias seguintes serão como noites intermináveis de um mês que sequer tem nome.

e tudo bem chorar até suas lágrimas se recusarem a descer pelo rosto. chorar, desamparada, no transporte público ao se pegar ouvindo aquela música no celular, pois era a maldita música que vocês colocavam antes de dormir, que ele cantava olhando nos seus olhos e sorrindo; chorar, desalentada, por saber que nunca mais terá abraços extensos, companhia pras melhores festas da cidade ou brigadeiro às três horas da manhã depois de um sexo que fazia seu coração dançar.

o fim em doses homeopáticas

tudo bem passar por esses dias sem querer saber como ele está e evitar falar de relacionamentos com os amigos e encher a cabeça com assuntos nada convencionais como leitura de revistas de celebridades e conversas distraídas com desconhecidos no transporte público. tudo pra que ele corra o mais rápido de você. tudo pra que você possa voltar à tona bem, saudável e tranquila na sua própria decisão. tudo pra que essa sua fé no amor se reconstrua mais forte. tudo pra que essa sensação de perda se transforme em um sentimento de alívio por saber que a vida segue seu fluxo. tudo pra que você consiga respirar, levemente, depois de todos esses meses se perguntando se aquela pessoa era mesmo pra você.

veja só: não era. e é essa a graça de existir no mundo. nem sempre aquele alguém que te levou ao lugar mais incrível da cidade será o responsável por te levar outras vezes e fazer você gostar de lá. você vai ressignificar esse espaço, talvez com outra pessoa, e compreenderá que, existindo, vez ou outra estaremos à mercê dos términos, dos fins, do que não deu certo, do que deixou de acontecer e do que aconteceu depressa demais.

e aconteceu, nesse caso, depressa demais.

ufa. *respira.*
agora você tem todo o tempo do mundo pra viver novamente.

o fim em doses homeopáticas

pouco a pouco

...e quando doer
sentar ao lado da dor
perguntar a ela por que veio
se vai levar mais alguma coisa
e se já posso levantar de novo
pra continuar seguindo em frente.

o fim em doses homeopáticas

depois

os dias posteriores ao término são sempre os mais angustiantes. seu cérebro ainda está se desacostumando com aquela presença que, antigamente, te habitava todos os dias. seu cérebro ainda está tentando esquecer os detalhes mais recorrentes da sua memória: a maneira como ele te fazia rir, as noites em claro conversando sobre o quanto foram machucados, os planos pra daqui a pouco, o que fazia vocês felizes. e é essa a parte que começa a doer. seu corpo tenta expulsar aquela presença a qualquer custo, ao mesmo tempo em que resiste em deixar aquela pessoa, aquela memória e tudo o que vocês construíram ir embora de vez.

às vezes, dura uma semana inteira até aquela sensação de estar com alguém ir. e então, de repente, você se dá conta, enquanto lava a louça ou vê um filme sem graça de comédia romântica, de que não tem mais a "sua pessoa". de que todos os assuntos que você só tinha com ele

textos cruéis demais para serem lidos rapidamente

morreram em algum lugar entre a sua cama e a porta do quarto. de que todas as vezes em que ele te elevou a um patamar de adoração nunca mais vão acontecer. e é aí que nosso corpo entra em pane.

o amor faz a adrenalina percorrer nosso sangue de maneira imparável e, abruptamente, essa euforia da experiência compartilhada que é a de se relacionar romanticamente com alguém deixa de correr pelas veias.

de repente, os dias vazios se esticam sobre a sua solidão, e seu corpo, cansado, não resiste e adoece. a doença da ausência é científica – mas, mais que isso, revela o caráter de um fim que remonta nossas estruturas internas.

seu corpo vai se acostumando, aos poucos, a não reconhecer mais aquela linguagem que era falada por vocês dois. vocês iam àquele restaurante todos os sábados, e, agora, você passa em frente a ele e tem vontade de vomitar. a sala de aula da faculdade ficou vazia e sem luz, mesmo que a matéria seja a mais interessante do semestre.

agora, existe um vazio em tudo e todos que não se parecem em nada com ele: você ainda carrega memórias de quando a relação fazia do seu coração uma festa. agora, nada te acende e te ilumina como antes.

até que um dia você acorda e percebe que a vida seguiu. que seu cérebro continua fazendo seu trabalho de te permitir proteção, e te protegerá esquecendo algumas coisas, as que te machucaram e as que tornaram seu coração infeliz. os lugares não te parecerão dolorosos.

o fim em doses homeopáticas

os ambientes não vão querer te engolir. você vai voltar a acreditar – em sentimentos e outras pessoas. até seu peito voltar a palpitar e seu cérebro começar a liberar toxinas e mais toxinas.

é a ciência trabalhando por você. é o amor voltando a dançar no seu sangue. é a vida acontecendo depois de um período de descanso.

o fim em doses homeopáticas

pra todos os corações do mundo

abençoado seja seu coração, que passou pela morte
do amor várias vezes. que passou pela morte do amor
quando tudo o que ele tinha era alguém cuja expectativa
era alta e letal. abençoado seja seu coração que sobreviveu
à guerra que é sair do fundo do poço quando não resta
nada além de silêncio. abençoado seja o coração que
continua aqui, batendo, ainda que já tenha apanhado de
tantas maneiras diferentes, que por vezes você não soube
se ele era um órgão pulsante ou a muralha da China.
abençoado seja isso a que chamamos de coração, quando
poderíamos chamá-lo de fortaleza ou colo de mãe.
quando poderíamos chamá-lo de força maior ou apenas
de fé. abençoado seja seu coração, que já foi enganado
com promessas fáceis e compreensões mentirosas, e,
mesmo assim, sobreviveu.

abençoado seja seu coração, que foi arrancado do peito,
mas teve forças pra voltar ao seu corpo e te fazer seguir

textos cruéis demais para serem lidos rapidamente

a vida, seguir em frente. abençoadas sejam todas as vezes que seu coração, ao te ver chorar, fez o trabalho redobrado de te manter saudável, são e vivo. abençoado seja seu coração que, vendo a impossibilidade do amor, foi pra você mais do que isso: foi coragem, foi destreza, temperança e autocuidado.

abençoados sejam todos os corações que, de tanto apanharem, criaram uma casca pra não se sentirem mais tão expostos – mas que sejam igualmente abençoados aqueles que não tiveram medo de se expor e estar à frente no campo de batalha que é a vida. estes que não criaram casca porque preferiram sentir tudo à flor do músculo. abençoados sejam aqueles que, de tanto apanharem, já sabem de cor o caminho para a regeneração. abençoados os corações dessa gente que se joga em tudo que é sinal de fumaça, em tudo que produz luz, em tudo que é vagalume. abençoados sejam os corações crentes no perdão – corações que acreditam na possibilidade da cura como processo pra caminhar.

abençoados sejam os corações que já passaram pelos piores términos, mas continuaram batendo porque sabiam que precisavam não apenas oxigenar o sangue do corpo de seus donos, como também ser fortes pra dizer que não é o fim que mata alguém, é a falta de. abençoados sejam os corações que, entendendo sobre falta, continuam presentes, latentes, até o final. abençoados sejam os que já viram o pior do mundo, e continuaram preservados. continuaram amando, continuaram sendo o centro de todos os sentimentos bons. abençoados sejam todos os corações que, pra se curarem, permitiram que a ferida

o fim em doses homeopáticas

neles morasse. permitiram que um parasita fizesse deles sua casa, pra que apreendessem a tática do inimigo e desenvolvessem *ainda mais força e resiliência*. abençoados sejam todos os corações que aqui chegaram, exaustos, mas completos; cansados, todavia vivos; perdidos, no entanto competentes em suas funções.

abençoados sejam todos os corações de todas as pessoas que poderiam não estar aqui, mas estão: pra contar história. pra contar amor.

abençoados sejam todos os corações que passaram pela arritmia da perda e, mesmo assim, conseguiram correr e chegar até aqui, nesta parte do caminho que é bela e tem luz. abençoados sejam estes corações que bateram rápido demais, tanto que por segundos se foram, mas retornaram pra sentirem o fluxo da vida atravessando a veia. que a estes seja derramada, todos os dias, a bênção da existência. abençoados sejam os que pararam por microssegundos, mas recobraram a consciência de si e do seu valor. eles sabiam que precisavam se manter firmes e fortes por amor a tudo que ainda os faria saltar pela boca – no bom sentido.

abençoado seja seu coração, que te viu perder pessoas e sonhos, mas continuou impecável na tarefa de te preparar pra caminhos maiores e quem sabe até mais difíceis. abençoado seja esse órgão que muitas vezes se confunde com aquele lugar calmo e tranquilo onde você vai pra descansar. você o transformou em lar todas as vezes que se sentiu triste e enfraquecida; todas as vezes que te faltou o ar e tudo o que tinha era a si mesma pra chorar.

textos cruéis demais para serem lidos rapidamente

abençoado seja seu coração, que suportou sentimentos nem tão bonitos e, mesmo assim, conseguiu se recuperar do ódio, da raiva, e da mágoa de se entregar demais a quem já não estava mais na mesma frequência afetiva que você. abençoado seja ele que, mesmo abrigando todos esses sentimentos, continua sendo completamente humano.

abençoado seja seu coração, que participou de todas as suas crises de choro no chão do quarto, quando todos já estavam dormindo e se preparando pra batalha do dia seguinte. ele estava ali, drenando o ar e fazendo com que você estivesse viva. abençoado seja o coração que palpitou mais forte ao sentir que você fugiria de casa naquela noite em que tudo parecia não fazer mais sentido e, ao perceber que ainda valia a pena viver, bateu mais forte e te fez parar. e voltar atrás. abençoado seja seu coração que te preservou de todos os conflitos que o mundo jogou em cima dos seus ombros. e, vendo seus ombros quase cederem, foi alicerce pra que você pudesse olhar por cima do problema e se ver maior que ele.

abençoado seja seu coração, que sobreviveu às crises de ansiedade e à queda da sua autoestima. abençoado seja ele, que sentiu você temer a solidão, a desesperança e a ausência. abençoado seja o que ficou quando todos foram embora. que foi seu melhor amigo, aquele que ouvia todas as palavras emocionadas de quem tinha, de novo, ficado sozinha. aquele que, pacientemente, ouvia todas as lágrimas que você escondia do mundo pra não incomodar.

o fim em doses homeopáticas

abençoado seja seu coração, que resistiu até aqui.

abençoado seja ele
que morreu de amor, mas continuou vivendo.

o fim em doses homeopáticas

na sala de casa

vou sentir falta do seu sorriso
abrindo meus caminhos internos e externos.
de quando chegava em casa e me trazia todas as luzes
espalhadas pelo bairro,
como quando você disse que gostava da minha
companhia e eu respondi que você fazia sentido pra
mim porque meu coração agora estava iluminado
meu universo agora se iluminava.

(e quem não se sentiria iluminado pelo sol que você é?)

alguém tão puro e honesto que meus poros se
apaixonaram pelos seus
no primeiro dia em que te vi.

vou sentir falta das brigas à tarde
quando você me jogava no chão e me fazia perder o ar
de tanta felicidade.

textos cruéis demais para serem lidos rapidamente

eu juro, naquele momento eu poderia ser levado pra
longe de você
que a memória mais bonita do tempo estaria atada à
minha pele.

*você costurou em mim as melhores sensações que tive em
muito tempo
e, a partir do nosso encontro, passei a acreditar que
pessoas boas existem, sim – elas só estão mais escondidas,
porque têm consciência do quão incríveis são.*

eu gostei demais de você
demais e de verdade
e poderia passar o resto dos meus dias
– dos meus confusos e às vezes solitários dias –
com você.

você me iluminou e mostrou que solidão não é estar
sozinho o domingo inteiro. que às vezes é estar numa
relação e se sentir a pessoa mais infeliz do mundo.

você abriu meus olhos e eu passei a ver beleza em mim
e por isso via ainda mais beleza no seu corpo, sua pele,
suas expressões,
sua gentileza se estendendo sobre o tapete da sala
infectando meu apartamento inteiro.

vou sentir sua falta
porque só você sabia ser você.
porque terminamos da maneira mais honesta possível
e temos milhares de coisas boas pra dizer um sobre o
outro.

o fim em doses homeopáticas

eu te amei, muito.
espero que você saiba.

te envio toda a luz do universo.

você foi a melhor coisa que fez brilhar meu coração

eu e ele somos gratos por isso.

o fim em doses homeopáticas

dançando no escuro

se alguém vai embora de você, a culpa não é sua. ela não precisa habitar seus ombros, não precisa estabelecer diálogo e te impedir de tentar de novo.

se alguém for embora de você, ainda há outros caminhos, com outras pessoas. existe o caminho de você com você mesmo, o sol amanhã, as caminhadas pela orla da praia, suas músicas favoritas e o jeito que você tem de mexer no cabelo.

se alguém for embora de você, ainda resta aquela sua risada que ninguém mais tem. resta, ainda, aquela incontrolável vontade de querer no outro um pouco de lealdade, porque essa é a sua marca registrada. se alguém for embora de você, ainda resta aquele fechar de olhos antes de qualquer grande decisão que você tomar. aquele lapso de sabedoria pra decidir ficar ou ir embora, também.

textos cruéis demais para serem lidos rapidamente

se alguém for embora de você, ainda restam suas mãos pra você construir uma pessoa ainda mais forte e maior. alguém regenerado, com mais beleza, mais calma e cuidado ao olhar pra si mesmo. eu tenho certeza de que você consegue construir novos significados ao redor da sua dor. eu tenho certeza de que você consegue transformar a dor em uma rede no meio do quarto à tarde pra poder dormir, quente e leve. a dor nem sempre vem com a partida de alguém. a dor, às vezes, é só do vazio que fica na rotina. então crie novas rotinas, dê seu nome a elas, enfeite seus dias com um pouco mais de você.

se alguém for embora de você, você continuará inteira pelos dias que ainda virão. pras novidades que vão deitar na sua pele. pros dias em que a vida te reservará novos sentidos e significados.

se alguém for embora de você, ainda resta sua fome pra você alimentar. seu sono pra ser colocado em dia.

se alguém for embora de você, ainda restam os livros que seus olhos quiseram tanto ler. as palavras estão lá, à sua espera.

se alguém for embora de você, ainda existe aquele filme que você pode colocar pra chorar até não aguentar mais. mas o momento será só teu. o choro será teu. a aflição, a raiva, a angústia, o dia pesado: teu. teu. e teu. não mais dele. nada dele.

se alguém for embora de você, ainda resta o milagre de se descobrir apta novamente ao amor. à vida. aos dias

o fim em doses homeopáticas

bonitos. à vontade de ser melhor. de amar e ser amada.

se alguém for embora de você, ainda resta seu corpo pro chuveiro limpar.

se alguém for embora de você, ainda restam todas as festas que, internamente, seu organismo dará em comemoração à mais um dia vivo.

o calor da cidade ainda existirá pra abraçar a sua essência. pra colocá-la sobre a paisagem mais bonita da geografia. pra fazer de você o espaço mais confortável, sereno e tranquilo do bairro.

se alguém for embora de você, existem os mares pra receber seu corpo triste, em processo de reconstrução.

e seus próprios braços, que têm a capacidade infinita de te trazer à tona.

e seus olhos, que ainda conseguirão enxergar beleza nas coisas, nas pessoas, em tudo o que toca e comove.

se alguém for embora de você
ainda restará você

e todos os dias em que você chorou pra crescer.

todos os dias em que seu coração bebeu das suas lágrimas pra inchar e aprender a ser mais forte.

todos os dias em que a força foi seu segundo nome. todos

textos cruéis demais para serem lidos rapidamente

os dias em que a força te carregou e elevou a um patamar do qual já não tem mais volta: quando você entendeu que ninguém levaria nada de você. nem os muros. nem as fraquezas. muito menos seu amor.

se alguém for embora de você, você ainda terá todas as suas inseguranças. e, com elas, falará sobre a vida. com elas, vai contar que tudo passa. e que a dor está passando.

se alguém for embora de você, ainda restam todas as suas outras versões, que já existem aí dentro, pra te lembrar que a gente corre o risco de se machucar quando nos entregamos a alguém, mas que toda entrega é rica, porque nos coloca pra fora de casa. nos tira dos sapatos e nos põe pra dançar.

se alguém for embora de você
faça uma festa
comemore sua existência
dance com a única pessoa que estará sempre aqui

você.

o fim em doses homeopáticas

recomeçar

neste exato momento, há alguém terminando uma relação de cinco anos com outra pessoa. mas há também alguém sendo pedida em casamento.

em algum lugar de São Paulo, tem alguém chorando porque constatou que o fim é iminente, mas há também alguém que recuperou a relação e está sentindo a sensação de voltar a respirar.

agora, em algum lugar do Rio de Janeiro, alguém descobriu que está apaixonada. ela está ligando pra melhor amiga pra contar a novidade. mas há, também, alguém chorando do outro lado da linha, dizendo que nunca mais voltará a acreditar no amor, porque o machucado desta vez foi profundo. há um casal se despedindo de um apartamento que alugaram pra passarem a vida juntos. eles estão neste exato momento fazendo a mudança, secando as lágrimas com as mãos, dizendo adeus a uma

textos cruéis demais para serem lidos rapidamente

vida de aventura que durou muito tempo. mas há, também, um casal se mudando agora, levando consigo quadros, roupas, plantas e a adrenalina de começar uma vida juntos.

o amor está se fazendo e desfazendo neste mesmo instante, em lugares perto de você ou muito longes. em Salvador, do outro lado do planeta, no apartamento em frente ao seu, do lado do seu trabalho.

talvez, a pessoa que está terminando uma relação agora é você. talvez, quem está entrando em um relacionamento nesta hora seja você também.

o amor e o fim do amor acontecem ao nosso redor quando menos se espera, em dias comuns como as quartas-feiras, dias que a gente não esperava terminar sozinhos, com a agonia de não saber o que virá depois.

o amor acontece e deixa de acontecer em esquinas movimentadas ou livrarias vazias. em casas sem cômodo algum ou em faculdades que exigem demais de seus alunos.

e viver é exatamente estar rodeado das mais variadas possibilidades de término – e das incríveis, gloriosas e infinitas possibilidades de recomeço.

Conheça também os outros livros da
textos cruéis demais para serem lidos rapidamente

www.textoscrueisdemais.com
facebook.com/textoscrueisdemais
instagram.com/textoscrueisdemais
youtube.com/textoscrueisdemais
twitter.com/textoscrueis

Este livro, composto na fonte Minion Pro,
foi impresso em papel Ivory Slim 65g/m² na gráfica Corprint.
São Paulo, Brasil, abril de 2025.